légumes faciles

légumes faciles

MARABOUT

sommaire

Les entrées **6**

Les soupes **76**

Les salades **156**

Les plats principaux **206**

Les accompagnements **312**

Table des recettes **378**

Les entrées

Bruschette tomate-champignons

Pour 8 personnes

Garniture à la tomate
6 tomates olivettes
15 g de basilic ciselé
1 gousse d'ail finement hachée
2 c. s. d'huile d'olive

Garniture aux champignons
2 c. s. d'huile d'olive
200 g de champignons de Paris
en quartiers
1 c. s. de jus de citron
50 g de fromage de chèvre émietté
1 c. s. de persil plat finement ciselé
1 c. c. de thym

16 tranches de pain de 1 cm d'épaisseur
4 gousses d'ail coupées en deux
60 ml d'huile d'olive

1 Entaillez les tomates en croix à la base et plongez-les 10 secondes dans l'eau bouillante puis dans l'eau froide. Pelez-les, coupez-les en deux et épépinez-les à l'aide d'une petite cuillère. Détaillez la chair en petits dés puis mélangez-la avec le basilic, l'ail et l'huile.

2 Pour préparer la garniture aux champignons et au persil, faites chauffer l'huile dans une poêle et laissez cuire les champignons 5 minutes à feu moyen. Quand ils sont juste tendres, transférez-les dans un récipient puis ajoutez le jus de citron, le fromage de chèvre, le persil et le thym.

3 Faites griller le pain et frottez-en les deux faces avec l'ail quand il est encore chaud. Versez un filet d'huile sur chaque tranche. Répartissez la garniture sur le pain.

PRATIQUE Les quantités de garniture vous permettront de réaliser huit bruschette. Huit tranches de pain suffiront si vous ne préparez qu'une seule garniture.

Salsa de maïs et asperges grillées

Pour 4 à 6 personnes

2 c. s. de lait
3 œufs
1 c. s. d'huile d'olive
2 épis de maïs
1 petit oignon rouge coupé en dés
1 poivron rouge finement haché
2 c. s. de thym
2 c. s. d'huile d'olive
2 c. s. de vinaigre balsamique
24 pointes d'asperges fraîches
1 c. s. d'huile de noix de macadamia
quelques tranches de pain grillé

1 Battez ensemble le lait et les œufs. Faites chauffer l'huile à feu moyen dans une poêle antiadhésive et faites cuire l'omelette de chaque côté de sorte qu'elle soit juste prise. Retirez la poêle du feu, laissez refroidir, roulez l'omelette puis découpez-la en fines rondelles.

2 Faites cuire le maïs sur un gril en fonte ou dans l'eau bouillante, laissez-le tiédir puis détachez les grains. Mélangez délicatement le maïs, l'oignon, le poivron, le thym, l'huile d'olive et le vinaigre balsamique.

3 Épluchez soigneusement les pointes d'asperges, badigeonnez-les d'un peu d'huile de noix de macadamia puis faites-les cuire sur un gril en fonte ou au barbecue. Elles doivent rester croquantes.

4 Servez les asperges garnies de salsa et de rondelles d'omelette. Accompagnez de languettes de pain grillé.

Timbales de carottes et fondue de poireau au safran

Pour 6 personnes

60 g de beurre
2 poireaux émincés
2 gousses d'ail pilées
1 kg de carottes émincées
375 ml de bouillon de légumes
1 c. s. de sauge finement hachée
60 ml de crème fleurette
4 œufs légèrement battus

Fondue de poireau
40 g de beurre
1 petit poireau émincé
1 grosse gousse d'ail pilée
60 ml de vin blanc
1 pincée de filaments de safran
90 g de crème fraîche

1 Préchauffez le four à 170 °C. Graissez légèrement six moules individuels. Faites chauffer le beurre à feu moyen et laissez fondre les poireaux 3 à 4 minutes. Ajoutez l'ail et la carotte puis poursuivez la cuisson 2 à 3 minutes. Versez le bouillon de légumes, portez à ébullition puis réduisez le feu et laissez frémir 5 minutes à couvert. Quand les carottes sont cuites, égouttez les légumes et réservez 185 ml de bouillon.

2 Mixez la carotte, 125 ml du bouillon réservé et la sauge jusqu'à obtention d'un mélange onctueux. Laissez refroidir un moment puis incorporez la crème et l'œuf. Mettez les moules dans un plat à gratin, versez de l'eau chaude jusqu'à mi-hauteur et faites cuire au four 30 à 40 minutes, jusqu'à ce que la préparation soit prise.

3 Pour préparer la sauce, mettez le beurre à chauffer dans une casserole et faites fondre le poireau 3 à 4 minutes à feu moyen sans le laisser se colorer. Ajoutez l'ail, attendez 30 secondes puis incorporez le vin, le reste de bouillon réservé et le safran. Laissez réduire 5 minutes avant d'incorporer la crème fraîche.

4 Démoulez les timbales sur des assiettes et servez-les nappées de sauce.

Champignons grillés

Pour 4 personnes

80 ml d'huile d'olive
2 c. s. de jus de citron
4 gousses d'ail pilées
12 gros champignons de Paris
sans les pieds
2 c. s. de persil plat finement ciselé
quelques tranches de pain grillé

Crème à l'estragon
60 ml de crème fraîche
2 c. c. de jus de citron
1 gousse d'ail pilée
2 c. c. d'estragon ciselé

I Préchauffez le four à 200 °C. Dans un grand plat à gratin, mélangez l'huile, le jus de citron et l'ail. Ajoutez les champignons et enrobez-les délicatement de ce mélange. Salez et poivrez généreusement puis disposez les champignons sur une seule couche. Faites cuire 30 minutes au four en les retournant plusieurs fois.

2 Pendant ce temps, mélangez la crème fraîche, le jus de citron, l'ail et l'estragon dans un récipient.

3 Saupoudrez les champignons de persil puis servez avec la crème à l'estragon et le pain grillé.

Feuilletés au poireau

Pour 32 pièces

60 g de beurre
2 c. s. d'huile d'olive
1 oignon finement haché
3 poireaux émincés
1 gousse d'ail hachée
1 c. s. de farine
2 c. s. de crème aigre
100 g de parmesan râpé
1 c. c. de thym
4 rouleaux de pâte feuilletée
1 œuf légèrement battu

1 Faites chauffer le beurre et l'huile dans une poêle à feu moyen. Ajoutez l'oignon et laissez cuire 2 minutes en remuant de temps en temps. Incorporez le poireau et l'ail puis poursuivez la cuisson 5 minutes. Quand le poireau commence à fondre, saupoudrez-le de farine et remuez 1 minute à feu doux. Versez la crème aigre et continuez de remuer jusqu'à léger épaississement. Transférez cet appareil dans un saladier puis ajoutez le parmesan et le thym. Salez et poivrez. Laissez refroidir.

2 Préchauffez le four à 200 °C. Avec un emporte-pièce de 6 cm, formez 64 fonds de pâte feuilletée. Déposez 2 bonnes cuillerées à café de garniture sur la moitié des fonds, en laissant une petite marge. Badigeonnez les bords d'un peu d'eau puis recouvrez de l'autre moitié des fonds. Fermez les feuilletés en scellant les bords à la fourchette et dorez-les à l'œuf.

3 Disposez les feuilletés sur une plaque de cuisson légèrement graissée et laissez cuire 25 minutes au four, jusqu'à ce qu'ils soient bien dorés.

Tempura de légumes

Pour 4 à 6 personnes

Mayonnaise au wasabi
2 c. s. de mayonnaise
3 c. c. de wasabi
(condiment japonais au raifort)
1/2 c. c. de zeste de citron vert râpé

2 jaunes d'œufs
250 ml d'eau pétillante
30 g de Maïzena
110 g de farine de blé
40 g de graines de sésame grillées
1 litre d'huile végétale
1 petite aubergine
coupée en fines rondelles
1 gros oignon coupé en fines rondelles
300 g de patates douces à chair orange
coupées en fines rondelles

1 Mélangez la mayonnaise, le wasabi et le zeste de citron. Couvrez de film alimentaire et réservez au réfrigérateur.

2 Mettez les jaunes d'œufs et l'eau pétillante dans un récipient puis battez doucement au fouet. Tamisez la Maïzena et la farine de blé dans un saladier, ajoutez les graines de sésame et une bonne pincée de sel puis mélangez le tout. Versez la préparation à l'œuf sur la farine et battez sans forcer à la fourchette. Cette pâte doit rester grumeleuse.

3 Faites chauffer l'huile végétale dans une casserole à fond épais. Un dé de pain jeté dedans doit dorer en 15 secondes. Plongez les légumes par deux (aubergine et oignon, aubergine et patate douce) dans la pâte et laissez frire 3 à 4 minutes. Égouttez sur du papier absorbant et salez généreusement. Réservez au chaud sans couvrir pendant que vous faites frire le reste des légumes.

4 Transférez la tempura dans un plat de service chaud et servez immédiatement, accompagné de mayonnaise au wasabi.

Poivrons grillés au fromage de chèvre

Pour 4 personnes

4 gros poivrons rouges
5 g de persil plat ciselé
2 c. s. de ciboulette ciselée
2 c. s. de petites câpres
finement hachées
I c. s. de vinaigre balsamique
150 g de fromage de chèvre
16 feuilles de basilic
un peu d'huile d'olive pour napper

I Découpez les poivrons en quatre et épépinez-les soigneusement. Disposez-les sur une plaque de cuisson, la peau sur le dessus, et faites-les griller au four jusqu'à ce que la peau noircisse. Transférez-les dans un sac plastique alimentaire puis laissez-les refroidir avant de les peler et de les couper en lamelles de 3 cm.

2 Mélangez le persil, la ciboulette, les câpres et le vinaigre balsamique dans un récipient. Émiettez le fromage de chèvre et mélangez bien. Poivrez généreusement. Placez une feuille de basilic sur chaque lamelle de poivron puis ajoutez la préparation au fromage de chèvre. Roulez le poivron sur cette garniture et maintenez en place avec une pique en bois. Déposez les poivrons farcis dans un récipient hermétique et nappez-les d'huile d'olive. Réservez-les au réfrigérateur. Sortez-les au moins une heure avant de servir.

Artichauts farcis

Pour 4 personnes

40 g d'amandes nature
4 petits artichauts
150 g de ricotta fraîche
2 gousses d'ail pilées
80 g de chapelure
1 c. c. de zeste de citron finement râpé
50 g de parmesan râpé
2 c. s. de persil plat ciselé
1 c. s. d'huile d'olive
2 c. s. de beurre
2 c. s. de jus de citron

1 Préchauffez le four à 180 °C. Étalez les amandes sur une plaque de cuisson et faites-les dorer au four 5 à 10 minutes en surveillant attentivement pour éviter qu'elles ne brûlent. Laissez-les refroidir avant de les hacher.

2 Enlevez les feuilles coriaces autour des artichauts. Coupez-les à environ 3 cm du haut puis parez les tiges en en laissant environ 2 cm. Frottez les artichauts de citron et plongez-les dans un saladier d'eau froide mélangée de jus de citron pour qu'ils ne brunissent pas.

3 Mélangez les amandes, la ricotta, l'ail, la chapelure, le zeste de citron, le parmesan et le persil dans un saladier. Salez et poivrez. Écartez doucement les feuilles des artichauts et garnissez-les de cette préparation. Déposez les artichauts dans un panier vapeur, nappez d'un filet d'huile d'olive et faites cuire 25 à 30 minutes. Quand ils sont juste tendres (vérifiez la cuisson avec une brochette en métal), sortez-les et passez-les 5 minutes sous le gril chaud pour que la garniture soit dorée.

4 Faites fondre le beurre dans une casserole, retirez du feu et incorporez le jus de citron. Présentez les artichauts sur le plat de service, nappez-les de beurre citronné puis salez et poivrez généreusement.

Frittatas de légumes à l'houmous

Pour 30 pièces

2 gros poivrons rouges
600 g de patates douces à chair orange
coupées en tranches de 1 cm
60 ml d'huile d'olive
2 poireaux émincés
2 gousses d'ail pilées
250 g de courgettes émincées
500 g d'aubergines
coupées en tranches de 1 cm
8 œufs légèrement battus
2 c. s. de basilic finement ciselé
125 g de parmesan râpé
200 g d'houmous (purée de pois chiches)
quelques olives noires dénoyautées et
coupées en deux pour la garniture

| Coupez les poivrons en morceaux, enlevez les membranes et les pépins puis disposez-les sur une plaque de cuisson, la peau sur le dessus. Faites-les griller au four jusqu'à ce que la peau noircisse.

Laissez-les refroidir dans un sac alimentaire avant de les peler.

2 Dans une casserole d'eau bouillante, faites cuire les patates douces 4 à 5 minutes puis égouttez-les.

3 Faites chauffer 1 cuillerée à soupe d'huile dans une poêle puis faites fondre le poireau et l'ail 1 minute à feu moyen. Ajoutez la courgette, poursuivez la cuisson 2 minutes et réservez ces légumes hors de la poêle.

4 Faites chauffer le reste d'huile et faites dorer les aubergines 2 minutes de chaque côté, en procédant en plusieurs tournées. Tapissez le fond de la poêle de la moitié des aubergines puis du poireau. Couvrez du poivron, du reste d'aubergines et de la patate douce.

5 Mélangez les œufs, le basilic et le parmesan. Versez cette omelette sur les légumes et faites cuire 15 minutes à four doux. Terminez la cuisson 2 à 3 minutes sous le gril. Laissez refroidir et démoulez sur une planche. Découpez la frittata en 30 petits pavés. Garnissez chaque pavé d'houmous et d'une moitié d'olive.

Tartelettes à l'oignon caramélisé

Pour 24 pièces

2 feuilles de pâte brisée
30 g de beurre doux
750 g d'oignons rouges émincés
2 c. s. de sucre roux
3 c. c. de vinaigre balsamique
1 c. c. de thym
100 g de feta
quelques brins de thym pour garnir

1 Préchauffez le four à 180 °C. Avec un emporte-pièce de 5 cm, découpez 24 fonds de pâte. Tapissez de ces fonds 24 moules à tartelettes légèrement graissés et faites dorer la pâte au four pendant 15 minutes.

2 Pendant ce temps, faites fondre le beurre dans une grande poêle et faites revenir l'oignon à feu très doux 35 à 40 minutes. Quand il est bien doré, ajoutez le sucre, le vinaigre balsamique et le thym. Salez et poivrez. Poursuivez la cuisson 10 minutes avant de garnir les moules de cette préparation.

3 Émiettez la feta sur les tartelettes et passez-les 30 secondes sous le gril chaud pour que le fromage fonde légèrement. Agrémentez de brins de thym et servez immédiatement.

Légumes primeurs et aïoli au safran

Pour 4 à 6 personnes

Aïoli au safran
1 pincée de filaments de safran
2 jaunes d'œufs
3 gousses d'ail pilées
2 c. s. de jus de citron
315 ml d'huile de colza

335 g de jeunes carottes grattées, avec 2 cm de verdure
155 g d'asperges vertes parées
100 g de petits épis de maïs frais
100 g de haricots verts
2 endives détaillées en feuilles
300 g de radis
1 baguette coupée en tranches

1 Pour l'aïoli, faites infuser le safran 1 minute dans 1 cuillerée à soupe d'eau. Mettez les jaunes d'œufs, l'ail et le jus de citron dans le bol du robot puis mixez jusqu'à obtention d'un mélange onctueux. Le moteur toujours en marche, versez l'huile de canola goutte à goutte puis, quand l'émulsion se forme, en un mince filet régulier jusqu'à épaississement de l'aïoli. Ajoutez 2 cuillerées à soupe d'eau chaude pour l'allonger un peu. Salez et poivrez. Transférez cet aïoli dans un récipient et incorporez l'eau safranée. Réservez au réfrigérateur jusqu'à utilisation.

2 Faites blanchir les carottes 3 minutes dans l'eau bouillante salée, égouttez-les et passez-les sous l'eau froide. Si vous aimez les légumes croquants, servez-les crues. Procédez de même avec les asperges (2 minutes), le maïs (1 minute) et les haricots verts (30 secondes).

3 Disposez les carottes, les asperges, les épis de maïs, les haricots verts, les feuilles d'endive et les radis sur un plat de service. Servez avec l'aïoli safrané. Accompagnez de pain de campagne.

Rouleaux de printemps

Pour 20 pièces

Sauce
60 ml de sauce au piment douce
1 c. s. de jus de citron vert

100 g de vermicelle de riz
1/2 mangue verte coupée en julienne
1 petit concombre épépiné et coupé en julienne
1/2 avocat coupé en julienne
4 oignons nouveaux émincés
15 g de feuilles de coriandre
2 c. s. de menthe ciselée
1 c. s. de sauce au piment douce
2 c. s. de jus de citron vert
20 feuilles de riz moyennes

1 Mélangez la sauce au piment et le jus de citron vert dans une coupelle.

2 Faites tremper le vermicelle 5 minutes à couvert dans l'eau bouillante. Quand il est réhydraté, égouttez-le et découpez-le en petits tronçons.

3 Mettez le vermicelle, la mangue, le concombre, l'avocat, l'oignon nouveau, la coriandre, la menthe, la sauce au piment douce et le jus de citron vert dans un saladier puis mélangez bien le tout.

4 Plongez les feuilles de riz 10 secondes dans l'eau bouillante, seules ou par deux. Quand elles sont souples, étalez-les sur le plan de travail. Déposez 1 cuillerée à soupe de garniture sur la feuille de riz, repliez les côtés et enroulez la feuille sur la garniture. Procédez de même avec toutes les feuilles. Servez immédiatement avec la sauce.

PRATIQUE Veillez à ce que les rouleaux soient roulés serrés pour éviter qu'ils ne se défassent. Vous pouvez les préparer 2 ou 3 heures à l'avance en les conservant au réfrigérateur dans un récipient hermétique, séparés par du papier sulfurisé ou du film alimentaire.

LES ENTRÉES

Asperges
à la gremolata

Pour 4 personnes

50 g de beurre
80 g de chapelure
7 g de persil plat ciselé
2 gousses d'ail très finement hachées
3 c. c. de zeste de citron haché
400 g d'asperges vertes parées
1 c. s. d'huile d'olive

1 Faites fondre le beurre à feu vif dans une poêle à fond épais. Ajoutez la chapelure et remuez avec une cuillère en bois. Quand elle est dorée et croustillante, transférez-la sur une assiette et laissez-la tiédir.

2 Mélangez le persil, l'ail et le zeste de citron dans un saladier. Ajoutez la chapelure et poivrez généreusement.

3 Portez une casserole d'eau à ébullition et faites blanchir les asperges 2 à 3 minutes. Elles doivent être juste tendres lorsqu'on les pique avec une brochette en métal. Égouttez-les soigneusement et disposez-les sur un plat chaud. Arrosez d'un filet d'huile d'olive et saupoudrez de gremolata. Servez immédiatement.

Pâté végétal aux champignons

Pour 24 toasts

50 g de beurre
3 gousses d'ail pilées
1 petit oignon haché
375 g de champignons de Paris
en quartiers
125 g d'amandes effilées
légèrement grillées
2 c. s. de crème
2 c. s. de thym finement haché
3 c. s. de persil plat finement ciselé
6 tranches de pain complet

1 Faites chauffer le beurre dans une grande poêle puis faites revenir l'ail et l'oignon 2 minutes à feu moyen. Quand l'oignon fond, augmentez le feu puis faites cuire les champignons 5 minutes, jusqu'à ce qu'ils soient tendres et que presque toute leur eau se soit évaporée. Laissez refroidir 10 minutes.

2 Hachez grossièrement les amandes. Ajoutez la préparation aux champignons et mixez jusqu'à obtention d'un mélange homogène. Le moteur toujours en marche, incorporez progressivement la crème. Ajoutez les herbes. Salez et poivrez. Transférez cette préparation dans des ramequins de 250 ml et lissez la surface. Couvrez et réservez 4 à 5 heures au réfrigérateur pour que les ingrédients libèrent leurs arômes.

3 Pour préparer les toasts, préchauffez le four à 180 °C. Détaillez les tranches de pain en triangles puis faites-les dorer au four. Quand elles sont croustillantes, sortez-les du four, tartinez-les de pâté et servez immédiatement.

Timbales de légumes aux poireaux frits

Pour 35 pièces

850 g de patates douces à chair orange assez longues
5 betteraves
125 g de crème fraîche
1 gousse d'ail pilée
1/4 c. c. de zeste de citron vert râpé
1 litre d'huile végétale
2 poireaux détaillés en fines lanières

1 Portez deux grandes casseroles d'eau à ébullition puis faites cuire séparément les patates douces et les betteraves. Égouttez-les et laissez-les refroidir. Quand elles sont assez tièdes pour être manipulées, épluchez-les et découpez-les en tranches de 1 cm. Laissez égoutter sur du papier absorbant.

2 Mettez la crème fraîche, l'ail et le zeste de citron dans un saladier, mélangez bien le tout puis réservez au réfrigérateur.

3 Faites chauffer l'huile végétale dans une casserole à fond épais. Un dé de pain jeté dedans doit dorer en 10 secondes. Faites revenir le poireau 30 secondes, en procédant en quatre fois, de sorte qu'il soit bien doré et croustillant. Égouttez-le soigneusement sur du papier absorbant et salez.

4 Répartissez les tranches de betterave et de patate douce dans des petites assiettes, garnissez de crème et décorez de lamelles de poireau frit.

Purée de poivron rouge aux noix

Pour 6 à 8 personnes

4 gros poivrons rouges
1 petit piment rouge
4 gousses d'ail en chemise
100 g de noix légèrement grillées
50 g de pain au levain sans la croûte
2 c. s. de jus de citron
1 c. s. de mélasse
1 c. c. de cumin moulu
1 grand pain pita (pain libanais très plat)
1 filet d'huile d'olive pour servir
gros sel

1 Coupez les poivrons en grosses lamelles et déposez-les sur une plaque de cuisson, la peau sur le dessus, avec le piment et les gousses d'ail en chemise. Passez-les sous le gril chaud jusqu'à ce que la peau cloque et noircisse. Transférez ces légumes dans un sac alimentaire et laissez refroidir avant de peler le poivron et le piment puis d'éplucher l'ail.

2 Concassez les noix, ajoutez le poivron et le piment, l'ail, le pain, le jus de citron, la mélasse et le cumin puis mixez jusqu'à obtention d'un mélange homogène. Incorporez 2 cuillerées à soupe d'eau chaude pour plus d'onctuosité et salez généreusement. Couvrez et réservez une nuit au réfrigérateur pour que les arômes se développent.

3 Préchauffez le four à 200 °C. Découpez le pain pita en triangles, badigeonnez d'huile d'olive et saupoudrez de gros sel. Faites dorer 5 minutes au four.

4 Arrosez la purée de poivron d'un filet d'huile d'olive et servez avec le pain pita.

Beignets de cacahuètes

Pour 25 pièces

Sauce

1 c. s. de vinaigre de riz
1 c. s. de mirin (vin de riz doux)
2 c. s. de ketjap manis (sauce de soja douce indonésienne)
1/4 c. c. de gingembre frais finement râpé

175 g de farine de riz
1 gousse d'ail pilée
1 c. c. de curcuma moulu
1/2 c. c. de cumin moulu
3 c. c. de sambal oelek (condiment indonésien à base de piment)
2 c. c. de coriandre moulue
1 c. s. de feuilles de coriandre ciselées
200 ml de lait de coco
200 g de cacahuètes grillées non salées
1 litre d'huile végétale

1 Pour la sauce, mélangez le vinaigre de riz, le mirin, le ketjap manis et le gingembre puis couvrez.

2 Pour préparer les beignets, mélangez la farine, l'ail, le curcuma, le cumin, le sambal oelek, la coriandre moulue, la coriandre fraîche et un peu de sel dans un saladier. Incorporez progressivement le lait de coco jusqu'à obtention d'une texture onctueuse. Ajoutez les cacahuètes et 50 ml d'eau chaude.

3 Faites chauffer l'huile végétale dans une casserole à fond épais. Un cube de pain jeté dedans doit dorer en 15 secondes. Faites frire des beignets de la valeur d'une bonne cuillerée à soupe de pâte, 1 à 2 minutes, jusqu'à ce qu'ils soient dorés. Égouttez-les sur du papier absorbant et salez-les. Servez immédiatement avec la sauce.

Feuilletés de courge à la feta

Pour 4 personnes

800 g de courge butternut découpée en tranches de 1 cm
2 c. s. d'huile d'olive
3 gousses d'ail pilées
4 carrés de pâte feuilletée de 15 cm
100 g de feta marinée à l'huile
3 c. s. de feuilles d'origan grossièrement ciselées
2 c. s. de pignons de pin grillés
1 jaune d'œuf
1 c. s. de lait
1 c. s. de graines de sésame
gros sel

1 Préchauffez le four à 220 °C. Mettez la courge dans un plat à gratin puis mélangez-la avec l'huile d'olive, l'ail, du sel et du poivre. Faites cuire 40 minutes au four. Quand elle est cuite et dorée, sortez-la du four et laissez-la refroidir.

2 Répartissez la courge au centre des quatre feuilles de pâte. Couvrez de feta, d'origan et de pignons de pin. Arrosez d'un filet de l'huile de la feta. Ramenez deux coins opposés de la pâte vers le centre et pincez-les au-dessus de la garniture. Faites de même avec les deux autres coins et scellez les bords en pinçant. Le feuilleté doit être carré à la base et former une pyramide. Torsadez la pâte à la jonction des quatre coins.

3 Mettez le jaune d'œuf et le lait dans un récipient puis battez le tout à la fourchette.

4 Placez les feuilletés sur une plaque huilée et badigeonnez-les d'œuf battu. Saupoudrez-les de sésame et de gros sel puis faites-les cuire 15 minutes au four.

Bouchées de légumes vapeur

Pour 25 pièces

1 c. s. d'huile
3 oignons nouveaux émincés
2 gousses d'ail hachées
2 c. c. de gingembre frais râpé
3 c. s. de ciboulette ciselée
420 g de choy sum
(variété de chou chinois) émincé
2 c. s. de sauce au piment douce
3 c. s. de feuilles de coriandre ciselées
45 g de châtaignes d'eau égouttées
et hachées
25 carrés de pâte à raviolis chinois

Sauce
1/2 c. c. d'huile de sésame
1/2 c. c. d'huile d'arachide
1 c. s. de sauce de soja
1 c. s. de jus de citron vert
1 petit piment rouge finement haché

1 Faites chauffer l'huile dans une poêle à feu moyen puis faites revenir l'oignon nouveau, l'ail, le gingembre et la ciboulette 1 à 2 minutes. Augmentez le feu, ajoutez le choy sum et poursuivez la cuisson 4 à 5 minutes. Incorporez la sauce au piment, la coriandre et les châtaignes d'eau puis laissez refroidir.

2 Étalez une feuille de pâte sur le plan de travail et déposez au centre 1 cuillerée à café de garniture. Humidifiez les bords avec de l'eau et scellez-les en les pinçant. Procédez de même avec les autres feuilles de pâte.

3 Faites bouillir de l'eau dans une casserole. Tapissez un panier vapeur en bambou de papier sulfurisé. Faites cuire les bouchées à la vapeur 5 à 6 minutes.

4 Pour préparer la sauce, mélangez l'huile de sésame, l'huile d'arachide, la sauce de soja, le jus de citron vert et le piment. Servez avec les bouchées.

PRATIQUE Originaires de Chine, les châtaignes d'eau sont des racines de plantes aquatiques. Leur saveur rappelle celle du cœur de palmier. On les trouve en conserve dans les épiceries asiatiques.

Champignons farcis

Pour 8 personnes

8 gros champignons de Paris
40 g de beurre
6 oignons nouveaux hachés
3 gousses d'ail pilées
200 g de chapelure
2 c. s. d'origan finement ciselé
2 c. s. de persil plat ciselé
50 g de parmesan râpé
1 œuf légèrement battu
un peu d'huile d'olive

1 Préchauffez le four à 200 °C. Séparez les chapeaux des champignons de leurs tiges et jetez ces dernières. Essuyez les chapeaux avec un linge propre et humide.

2 Faites chauffer le beurre dans une petite poêle à feu moyen et faites-y fondre l'oignon 2 minutes. Ajoutez l'ail pilé et laissez cuire 1 minute de plus. Mettez la chapelure dans un saladier, versez dessus la préparation à l'oignon, puis les herbes, le parmesan et l'œuf battu. Salez et poivrez puis mélangez bien le tout.

3 Graissez légèrement une plaque de cuisson. Répartissez la farce sur les champignons, en tassant doucement. Disposez les champignons sur la plaque, arrosez d'un filet d'huile d'olive et faites cuire 15 minutes au four jusqu'à ce que le dessus soit doré et les champignons cuits à cœur. Servez immédiatement.

Bouchées aux épinards

Pour 24 pièces

80 ml d'huile d'olive
2 oignons finement hachés
2 gousses d'ail hachées
150 g de petits champignons de Paris grossièrement hachés
200 g d'épinards hachés
1/2 c. c. de thym frais haché
100 g de feta émiettée
750 g de pâte brisée
un peu de lait

1 Faites chauffer 2 cuillerées à soupe d'huile dans une poêle à feu moyen puis faites revenir l'oignon et l'ail 5 minutes. Quand ils sont fondus et légèrement dorés, ajoutez les champignons et poursuivez la cuisson 4 minutes, jusqu'à ce que ceux-ci ramollissent. Transférez le tout dans un saladier.

2 Dans la même poêle, faites chauffer 1 cuillerée d'huile à feu moyen, ajoutez la moitié des épinards et laissez cuire 2 à 3 minutes en remuant bien. Transvasez la préparation dans le saladier et faites cuire le reste des épinards. Ajoutez le thym et la feta dans le saladier puis mélangez le tout. Salez et poivrez. Laissez refroidir.

3 Préchauffez le four à 200 °C et graissez 12 petits moules. Abaissez la moitié de la pâte entre deux feuilles de papier sulfurisé et découpez 24 fonds à l'aide d'un emporte-pièce. Tapissez les moules de ces fonds et répartissez l'appareil aux épinards dessus. Abaissez l'autre moitié de la pâte et découpez à nouveau 24 cercles pour en recouvrir les tourtes. Scellez en pressant les bords à la fourchette puis piquez le dessus des tourtes, badigeonnez-les de lait et faites-les cuire 15 à 20 minutes au four.

Timbales de légumes au fromage de chèvre

Pour 4 personnes

4 tomates
4 gousses d'ail hachées
1 c. s. de basilic ciselé
2 c. s. de persil plat finement ciselé
60 ml d'huile d'olive
1 grosse aubergine
découpée en tranches de 5 mm
8 feuilles de basilic déchiquetées
85 g de fromage de chèvre émietté

1 Préchauffez le four à 180 °C. Coupez les tomates en deux et récupérez la pulpe à la cuillère. Saupoudrez un quart de l'ail sur chaque moitié de tomate puis couvrez du basilic et du persil mélangés. Disposez les tomates sur une plaque de cuisson, arrosez-les d'un filet d'huile d'olive, salez et poivrez. Laissez cuire 40 minutes au four.

2 Préchauffez le gril. Badigeonnez une feuille de papier sulfurisé d'huile d'olive, disposez les tranches d'aubergine sur une plaque de cuisson et badigeonnez-les du reste d'huile. Passez-les 5 minutes sous le gril jusqu'à ce qu'elles soient croustillantes.

3 Huilez légèrement 4 ramequins. Tapissez chaque ramequin d'aubergine puis de deux feuilles de basilic, d'une moitié de tomate, d'un peu de fromage de chèvre, d'une autre moitié de tomate et finissez par une tranche d'aubergine. Faites cuire 20 minutes au four. Laissez reposer 5 minutes avant de démouler.

Beignets de chou-fleur

Pour 4 à 6 personnes

600 g de chou-fleur
55 g de besan (farine de pois chiches)
2 c. c. de cumin moulu
1 c. c. de coriandre moulue
1 c. c. de curcuma moulu
1 pincée de poivre de Cayenne
1 œuf légèrement battu
1 jaune d'œuf
1 litre d'huile végétale

1 Détaillez le chou-fleur en petits bouquets. Tamisez le besan, le cumin, la coriandre, le curcuma et le poivre de Cayenne dans un saladier. Salez légèrement.

2 Battez légèrement l'œuf, le jaune d'œuf et 60 ml d'eau dans un récipient. Formez un puits au centre des ingrédients secs et incorporez le mélange à l'œuf, tout en battant, jusqu'à obtention d'une pâte homogène. Laissez reposer cette pâte 30 minutes.

3 Faites chauffer l'huile végétale dans une casserole à fond épais. Un cube de pain jeté dedans doit dorer en 15 secondes. Plongez les bouquets de chou-fleur dans la pâte en laissant s'écouler l'excédent de pâte dans le saladier. Faites frire les beignets 3 à 4 minutes, en procédant en plusieurs tournées, jusqu'à ce qu'ils soient gonflés et dorés. Égouttez-les, saupoudrez-les de sel et d'un peu de poivre de Cayenne, à votre convenance. Servez chaud.

Rouleaux de printemps à la thaïlandaise

Pour 40 pièces

Garniture
80 g de vermicelle de riz
2 gousses d'ail pilées
1 carotte râpée
4 oignons nouveaux finement hachés
1 c. s. de sauce au piment douce
2 c. s. de gingembre frais râpé
2 racines de coriandre
finement hachées
2 c. s. de jus de citron vert
1 c. c. de sucre de palme
2 c. s. de feuilles de coriandre hachées
3 c. c. d'huile de sésame
1 c. s. de ketjap manis
(sauce de soja douce indonésienne)

40 galettes de riz
1 litre d'huile végétale
sauce au piment douce

1 Pour préparer la garniture, plongez le vermicelle 5 minutes dans l'eau bouillante. Égouttez-le et coupez-le en fins tronçons. Mélangez-le aux autres ingrédients de la garniture.

2 Préparez les rouleaux un par un. Déposez 1 cuillerée à soupe de garniture dans la partie inférieure de la galette, humidifiez les bords avec un pinceau et rabattez le haut de la galette sur la garniture. Repliez les bords et enroulez la galette en serrant bien. Procédez de même avec les autres galettes et la garniture.

3 Faites chauffer l'huile végétale dans une casserole à fond épais. Un cube de pain jeté dedans doit dorer en 15 secondes. Plongez les rouleaux dans la friture 2 à 3 minutes, jusqu'à ce qu'ils soient bien dorés. Égouttez-les sur du papier absorbant. Servez avec la sauce au piment douce.

Poivrons farcis

Pour 4 personnes

2 poivrons rouges
2 poivrons jaunes
2 c. c. d'huile d'olive
16 feuilles de basilic
2 c. s. de câpres au vinaigre égouttées,
rincées et hachées
3 c. s. d'huile d'olive en supplément
2 gousses d'ail pilées
3 c. c. de vinaigre balsamique

1 Préchauffez le four à 180 °C. Coupez les poivrons en deux (ou en quatre s'ils sont très gros) dans la longueur en gardant les tiges. Retirez les graines et les membranes. Versez l'huile en filet dans le fond d'un plat allant au four puis déposez-y les poivrons, la peau sur le dessous.

2 Garnissez chaque poivron de 2 feuilles de basilic puis des câpres. Salez et poivrez généreusement.

3 Dans un saladier, mélangez les 3 cuillerées à soupe d'huile d'olive en supplément, l'ail et le vinaigre balsamique puis répartissez cette sauce sur les poivrons. Couvrez d'une feuille de papier d'aluminium et faites cuire 10 à 15 minutes au four.

4 Retirez le papier d'aluminium et poursuivez la cuisson 15 à 20 minutes. Les poivrons doivent être tendres et dorés sur les bords. Servez chaud ou à température ambiante.

Houmous
à la betterave

Pour 8 personnes

500 g de betterave cuite
80 ml d'huile d'olive
1 gros oignon haché
1 c. s. de cumin moulu
400 g de pois chiches en conserve
égouttés
1 c. s. de tahini (pâte de sésame)
80 g de yaourt nature
3 gousses d'ail pilées
60 ml de jus de citron
125 ml de bouillon de légumes
1 pain libanais

1 Plongez la betterave 1 minute dans l'eau bouillante, égouttez-la et laissez-la refroidir avant de la peler.

2 Dans une poêle, faites chauffer 1 cuillerée à soupe d'huile à feu moyen et faites fondre l'oignon 2 à 3 minutes. Ajoutez le cumin et poursuivez la cuisson 1 minute, le temps qu'il libère son arôme. Hachez la betterave puis mettez-la dans le bol du mixeur ou du robot avec l'oignon au cumin, les pois chiches, le tahini, le yaourt, l'ail, le jus de citron et le bouillon. Mixez jusqu'à obtention d'une pâte lisse. Le moteur toujours en marche, versez le reste d'huile en un mince filet et continuez de mixer jusqu'à ce que le mélange soit parfaitement homogène. Servez l'houmous avec du pain turc ou libanais.

VARIANTE On peut préparer cet houmous avec un autre légume que la betterave. Essayez la carotte ou le potiron.

Beignets de fleurs de courgettes

Pour 20 beignets

75 g de farine
250 ml d'eau
100 g de mozzarella
20 fleurs de courgettes sans les tiges
ni le pistil
10 feuilles de basilic déchiquetées
1 litre d'huile d'olive
2 quartiers de citron

1 Dans un saladier, mélangez la farine et l'eau pour obtenir une pâte fluide. Salez à votre convenance.

2 Détaillez la mozzarella en 20 bâtonnets. Garnissez chaque fleur de courgette d'un bâtonnet de mozzarella et d'un peu de basilic puis refermez délicatement les pétales sur cette garniture.

3 Faites chauffer l'huile d'olive dans une grande casserole à fond épais. Une goutte de pâte doit grésiller lorsque vous la jetez dedans.

4 Plongez les fleurs de courgettes dans la pâte puis égouttez-les avant de les faire frire 3 minutes (procédez en plusieurs tournées). Égouttez-les sur du papier absorbant. Salez et poivrez. Servez aussitôt avec les quartiers de citron.

Pakoras et yaourt à la coriandre

Pour 4 personnes

Yaourt épicé
1 c. c. de graines de cumin
1 gousse d'ail pilée
15 g de feuilles de coriandre ciselées
200 g de yaourt nature

35 g de besan (farine de pois chiches)
40 g de farine à levure incorporée
45 g de farine de soja
1/2 c. c. de curcuma moulu
1 c. c. de poivre de Cayenne
1/2 c. c. de coriandre moulue
1 petit piment vert épépiné
et finement haché
1 litre d'huile végétale
200 g de chou-fleur
détaillé en fleurettes
140 g de patates douces à chair orange
découpées en tranches de 5 mm
180 g d'aubergines
en tranches de 5 mm
180 g d'asperges fraîches
découpées en tronçons de 6 cm

1 Pour préparer le yaourt à la coriandre, faites chauffer une petite poêle à feu moyen. Jetez-y les graines de cumin et faites-les griller à sec 1 à 2 minutes pour qu'elles libèrent leur arôme. Remuez la poêle fréquemment pour éviter qu'elles ne brûlent. Transférez les graines dans un mortier ou un moulin à épices et broyez-les grossièrement. Incorporez le cumin et l'ail dans le yaourt puis battez le tout au fouet. Salez, poivrez puis ajoutez la coriandre.

2 Versez le besan, la farine à levure incorporée, la farine de soja, le curcuma, le poivre de Cayenne, la coriandre moulue, le piment et 1 cuillerée à café de sel dans un saladier. Incorporez progressivement 250 ml d'eau froide pour former une pâte et laissez reposer 15 minutes. Préchauffez le four à 120 °C.

3 Faites chauffer l'huile végétale dans une casserole à fond épais. Un cube de pain jeté dedans doit dorer en 20 secondes. Plongez les légumes dans la pâte et faites-les frire 1 à 2 minutes, en procédant en plusieurs tournées, jusqu'à ce qu'ils soient légèrement dorés. Sortez-les à l'aide d'une écumoire et égouttez-les sur du papier absorbant. Réservez-les au chaud dans le four au fur et à mesure de la cuisson.

4 Servez les pakoras de légumes chauds avec le yaourt à la coriandre.

Tartelettes à l'italienne

Pour 4 personnes

60 ml d'huile d'olive
2 oignons rouges émincés
1 c. s. de vinaigre balsamique
1 c. c. de sucre roux
1 c. s. de thym haché
1 fond de pâte feuilleté prêt à l'emploi
170 g de quartiers d'artichaut marinés
16 olives noires dénoyautées
un peu d'huile d'olive pour servir
quelques brins de thym pour décorer

1 Dans une casserole, faites chauffer 2 cuillerées à soupe d'huile à feu doux et laissez fondre l'oignon 15 minutes, en remuant de temps en temps. Ajoutez le vinaigre et le sucre roux puis poursuivez la cuisson 15 minutes jusqu'à ce que l'oignon commence à brunir. Retirez la casserole du feu, incorporez le thym haché et laissez refroidir.

2 Préchauffez le four à 220 °C. Découpez quatre fonds de 10 cm dans la pâte et répartissez-y l'oignon, à 1,5 cm du bord.

3 Placez les fonds garnis sur une plaque de cuisson chaude légèrement huilée puis faites-les cuire 12 à 15 minutes dans la partie supérieure du four, jusqu'à ce que les bords aient levé et que la pâte soit bien dorée.

4 Disposez les artichauts égouttés sur l'oignon et comblez les vides avec des olives. Arrosez les tartelettes d'un filet d'huile d'olive et servez-les agrémentées de brins de thym.

Artichauts à la vinaigrette aux épices

Pour 4 personnes

2 c. s. de jus de citron
4 gros artichauts ronds
2 gousses d'ail pilées
1 c. c. d'origan finement ciselé
1/2 c. c. de cumin moulu
1/2 c. c. de coriandre moulue
1 pincée de piment séché
3 c. c. de vinaigre de xérès
60 ml d'huile d'olive

1 Versez le jus de citron dans un saladier d'eau froide. Épluchez les artichauts : gardez 5 cm de tige et supprimez les feuilles coriaces. Coupez le quart supérieur des feuilles et découpez chaque artichaut dans la hauteur, en deux ou en quatre selon sa taille. Enlevez le foin à l'aide d'une petite cuillère et réservez les artichauts dans l'eau citronnée pour éviter qu'ils ne noircissent pendant la préparation.

2 Portez une casserole d'eau à ébullition, ajoutez les artichauts et 1 cuillerée à café de sel puis laissez frémir environ 20 minutes. Le temps de cuisson dépendra de la taille des artichauts. Ils sont cuits lorsqu'une brochette en métal piquée à leur base s'enfonce sans résistance. Égouttez-les et posez-les sur leur face coupée pour qu'ils continuent de s'égoutter.

3 Mélangez l'ail, l'origan, le cumin, la coriandre et le piment séché dans un saladier. Salez, poivrez puis incorporez le vinaigre. Sans cesser de remuer, versez doucement l'huile sur ce mélange pour former une émulsion.

4 Disposez les artichauts côte à côte sur un plat. Nappez-les de vinaigrette et laissez refroidir complètement.

Galettes de poireau et d'épinards

Pour 8 pièces

40 g de beurre
1 blanc de poireau émincé
40 g de pignons de pin
100 g de pousses d'épinards hachées
3 œufs
1 jaune d'œuf
1 c. s. de crème
75 g de parmesan râpé
1 c. s. de persil ciselé
1 c. s. d'huile d'olive

1 Dans une poêle à fond épais, faites fondre la moitié du beurre à feu moyen puis faites revenir le poireau et les pignons de pin pendant 3 minutes. Quand ils sont dorés, ajoutez les épinards et poursuivez la cuisson 1 minute. Laissez refroidir légèrement ce mélange hors de la casserole. Essuyez cette dernière avec du papier absorbant.

2 Battez les œufs, le jaune d'œuf et la crème dans un saladier. Ajoutez le parmesan et le persil puis salez et poivrez. Incorporez la préparation aux épinards.

3 Faites fondre l'autre moitié de beurre et la moitié de l'huile dans une poêle. Déposez 4 cercles à œufs de 5 à 7 cm de diamètre au fond de la poêle et versez 60 ml de l'appareil aux épinards dans chaque cercle. Laissez cuire 2 à 3 minutes à feu doux, le temps que le fond prenne. Retournez délicatement la galette et laissez-la cuire de l'autre côté 2 à 3 minutes, jusqu'à ce qu'elle soit ferme. Transférez les galettes sur un plat de service et enlevez les cercles à œufs. Procédez de même avec le reste de beurre, d'huile et d'appareil aux épinards. Servez immédiatement.

Tortilla de pommes de terre

Pour 6 à 8 personnes

**500 g de pommes de terre
découpées en tranches de 1 cm
60 ml d'huile d'olive
1 oignon brun émincé
4 gousses d'ail émincées
2 c. s. de persil plat finement ciselé
6 œufs**

1 Posez les tranches de pomme de terre dans le fond d'une casserole, couvrez d'eau froide et portez à ébullition. Laissez bouillir 5 minutes puis égouttez et réservez.

2 Faites chauffer l'huile à feu moyen dans une poêle antiadhésive assez profonde. Ajoutez l'oignon et l'ail puis laissez-les revenir 5 minutes, jusqu'à ce que l'oignon soit fondu.

3 Ajoutez les pommes de terre et le persil puis remuez bien. Laissez cuire 5 minutes en appuyant doucement sur les pommes de terre.

4 Battez les œufs, salez et poivrez puis répartissez cette omelette sur les pommes de terre. Couvrez et laissez cuire 20 minutes à feu moyen. Quand l'omelette est juste prise, transférez la tortilla sur un plat de service ou servez directement dans la poêle.

Makis
aux nouilles udon

Pour 36 pièces

**300 g de nouilles udon
(nouilles japonaises)
6 feuilles de nori (algue japonaise)
50 g de daïkon (gros radis japonais)
mariné au vinaigre, coupé en fines
lamelles
3 c. s. de gari (gingembre mariné)
égoutté
de la sauce ponzu pour servir**

1 Faites cuire les nouilles selon les instructions du fabriquant. Dès qu'elles sont tendres, rincez-les sous l'eau froide et épongez-les.

2 Placez une feuille de nori sur une natte à sushi. Veillez à ce que le plan de travail soit bien plat. Divisez les nouilles en six portions, déposez une portion sur la moitié inférieure de la feuille de nori puis répartissez le daïkon et le gari au milieu des nouilles, dans la largeur. En vous aidant de la natte, enroulez la feuille de nori sur la garniture. Découpez chaque rouleau en deux puis chaque moitié en trois. Recommencez avec le reste des ingrédients. Servez accompagné de sauce ponzu.

PRATIQUE D'origine japonaise, la sauce ponzu est composée de vinaigre de riz, de soja, de mirin et de dashi (bouillon japonais).

Mille-feuilles de légumes

Pour 4 personnes

125 ml d'huile
2 courgettes émincées en biseau
500 g d'aubergines émincées
1 petit bulbe de fenouil émincé
1 oignon rouge émincé
300 g de ricotta
50 g de parmesan râpé
1 c. s. de persil plat ciselé
1 c. s. de ciboulette ciselée
1 poivron rouge grillé, pelé et détaillé en gros morceaux
1 poivron jaune grillé, pelé et détaillé en gros morceaux

Sauce tomate
1 c. s. d'huile
1 oignon finement haché
2 gousses d'ail pilées
1 piment rouge épépiné et haché
425 g de tomates concassées en boîte
2 c. s. de purée de tomate

1 Faites chauffer 1 cuillerée à soupe d'huile dans une grande poêle à feu vif puis faites revenir les courgettes, les aubergines, le fenouil et l'oignon 5 minutes, jusqu'à ce qu'ils soient dorés.

Procédez en plusieurs tournées en ajoutant de l'huile si nécessaire. Égouttez les légumes séparément sur du papier absorbant.

2 Préchauffez le four à 200 °C. Mélangez la ricotta, le parmesan, le persil et la ciboulette. Salez et poivrez généreusement.

3 Graissez légèrement 4 ramequins de 315 ml. En utilisant la moitié des aubergines, tapissez le fond de chaque ramequin d'une couche d'aubergines puis de courgettes, de poivrons, de préparation au fromage, de fenouil et d'oignon. Terminez avec l'autre moitié des aubergines et tassez fermement le tout dans le ramequin. Faites cuire 10 à 15 minutes au four. Laissez reposer 5 minutes à température ambiante avant de démouler.

4 Pendant ce temps, préparez la sauce. Mettez l'huile à chauffer dans une casserole puis faites fondre l'oignon et l'ail 2 à 3 minutes. Ajoutez le piment, les tomates concassées et la purée de tomate puis laissez mijoter 5 minutes. Quand le mélange devient épais, réduisez-le en coulis au mixeur, transférez-le à nouveau dans la casserole et tenez-le au chaud. Agrémentez chaque mille-feuille de quelques cuillerées à café de sauce.

Les soupes

Soupe
de topinambour
à l'ail rôti

Pour 4 personnes

1 tête d'ail
2 c. s. de beurre
1 c. s. d'huile d'olive
1 oignon haché
1 blanc de poireau haché
1 branche de céleri hachée
700 g de topinambours épluchés
et coupés en morceaux
1 petite pomme de terre hachée
1,5 litre de bouillon de légumes
un peu d'huile d'olive pour servir
un peu de ciboulette hachée
pour décorer

1 Préchauffez le four à 200 °C. Après avoir coupé sa base, enveloppez l'ail dans du papier d'aluminium et faites-le rôtir 30 minutes au four, jusqu'à ce qu'il soit tendre. Quand il est assez froid pour être manipulé, sortez-le du papier d'aluminium et pressez les gousses pour en extraire la pulpe.

2 Dans une casserole à fond épais, faites chauffer le beurre et l'huile. Ajoutez l'oignon, le poireau, le céleri et une bonne pincée de sel puis laissez cuire 10 minutes. Quand les légumes fondent, ajoutez le topinambour, la pomme de terre et la pulpe d'ail. Poursuivez la cuisson 10 minutes. Arrosez du bouillon, portez le mélange à ébullition, baissez le feu et laissez cuire 30 minutes.

3 Passez le tout au mixeur jusqu'à obtention d'une soupe onctueuse. Salez et poivrez généreusement. Servez avec un filet d'huile d'olive et un peu de ciboulette.

Soupe miso aux nouilles udon et au tofu

Pour 2 à 4 personnes

1 c. c. de dashi instantané
(bouillon japonais)
3 c. s. de miso rouge
(pâte fermenté à base de soja)
2 c. s. de sauce de soja
400 g de nouilles udon fraîches
(nouilles japonaises)
400 g de tofu ferme coupés en cubes
100 g de champignons shiitake frais
émincés
500 g de chou chinois
détaillé en feuilles

1 Mettez le dashi, le miso, la sauce de soja et 1,25 litre d'eau dans une casserole puis portez à ébullition. Réduisez le feu et laissez frémir 10 minutes.

2 Ajoutez les nouilles udon et laissez cuire 5 minutes. Quand elles sont tendres, incorporez le tofu, les champignons shiitake et le chou chinois. Poursuivez la cuisson 3 minutes, jusqu'à ce que celui-ci flétrisse. Servez aussitôt.

Soupe de verdure au pesto

Pour 4 personnes

60 ml d'huile d'olive
1 oignon finement haché
2 gousses d'ail pilées
1 branche de céleri hachée
1 courgette coupée en rondelles de 1 cm
1 brocoli coupé en morceaux de 1 cm
1,5 litre de bouillon de légumes
150 g de haricots verts
coupés en tronçons de 1 cm
155 g de petits pois
155 g d'asperges vertes
coupées en tronçons de 1 cm
80 g de feuilles de bettes émincées

Pesto
3 gousses d'ail pelées
20 g de basilic
80 ml d'huile d'olive
50 g de parmesan râpé

1 Faites chauffer l'huile d'olive dans une casserole puis laissez dorer l'oignon, l'ail et le céleri. Ajoutez la courgette et le brocoli. Poursuivez la cuisson 5 minutes.

2 Arrosez de bouillon et portez à ébullition. Laissez frémir 5 minutes puis ajoutez les haricots verts, les petits pois, les asperges et les bettes. Laissez cuire les légumes 5 minutes de plus. Salez et poivrez généreusement.

3 Pour préparer le pesto, pilez l'ail et le basilic dans un mortier. Versez lentement l'huile d'olive et continuez de mélanger jusqu'à obtention d'une pâte lisse. Incorporez le parmesan. Salez et poivrez généreusement.

4 Transférez la soupe dans les bols et servez-la agrémentée d'une cuillerée de pistou.

Bortsch

Pour 6 personnes

6 grosses betteraves rouges pelées
2 c. s. de sucre en poudre
125 ml de jus de citron
3 œufs
un peu de crème aigre (facultatif)

1 Râpez les betteraves puis mettez-les dans une casserole avec le sucre et 2,25 litres d'eau. Faites cuire à feu doux, en remuant, jusqu'à dissolution du sucre. Laissez frémir 30 minutes sans couvrir totalement, en écumant de temps en temps.

2 Ajoutez le jus de citron et laissez frémir 10 minutes à découvert avant de retirer la casserole du feu.

3 Battez les œufs dans un saladier. Versez progressivement l'œuf battu dans la préparation à la betterave, sans cesser de remuer, en veillant à ce qu'il ne se fige pas. Salez et poivrez. Laissez la soupe refroidir puis couvrez et réservez au réfrigérateur. Cette soupe est délicieuse accompagnée de crème aigre.

Gaspacho

Pour 4 personnes

1 kg de tomates épépinées et concassées
1 petit concombre épluché
et détaillé en petits cubes
1 petit poivron rouge épépiné et haché
1 oignon rouge haché
3 gousses d'ail
80 g de pain au levain sans la croûte
2 c. s. de vinaigre de xérès
quelques gouttes de Tabasco

Garniture
2 c. c. de tomates coupées en petits dés
2 c. c. de poivron rouge
coupé en petits dés
2 c. c. d'oignon rouge
coupé en petits dés
2 c. c. de concombre
coupé en petits dés
2 c. c. de persil plat finement ciselé
1 c. s. d'huile d'olive
1 c. c. de jus de citron

1 Mettez les tomates, le concombre, le poivron, l'oignon, l'ail et le pain dans le bol du robot puis mixez jusqu'à obtention d'un mélange homogène. Passez ce mélange dans un tamis fin puis incorporez le vinaigre de xérès. Salez et poivrez, assaisonnez de Tabasco, couvrez et réservez au moins 2 heures au réfrigérateur.

2 Pour la garniture, mélangez tous les ingrédients dans un récipient. Salez et poivrez.

3 Remuez bien le gaspacho puis servez-le dans des bols, agrémenté d'une cuillerée de garniture.

Soupe paysanne

Pour 6 personnes

105 g de haricots rouges secs
ou de haricots borlotti
1 c. s. d'huile d'olive
1 poireau coupé en deux
dans la longueur et haché
1 petit oignon coupé en dés
2 carottes hachées
2 branches de céleri hachées
1 grosse courgette hachée
1 c. s. de purée de tomate
1 litre de bouillon de légumes
400 g de courge butternut
détaillée en cubes de 2 cm
2 pommes de terre
détaillées en cubes de 2 cm
3 c. s. de persil plat ciselé

1 Dans un saladier, couvrez les haricots d'eau froide et laissez-les tremper toute la nuit. Rincez-les, transférez-les dans une casserole, couvrez d'eau froide et laissez cuire 45 minutes. Égouttez les haricots quand ils sont juste tendres.

2 Faites chauffer l'huile dans une casserole. Ajoutez le poireau et l'oignon puis laissez cuire 2 à 3 minutes à feu moyen, sans laisser brunir. Quand ils commencent à fondre, ajoutez la carotte, le céleri et la courgette. Poursuivez la cuisson 3 à 4 minutes. Incorporez la purée de tomate et remuez 1 minute. Versez le bouillon de légumes et 1,25 litre d'eau. Portez le tout à ébullition, réduisez le feu et laissez mijoter 20 minutes.

3 Ajoutez la courge, les pommes de terre, le persil et les haricots puis laissez mijoter à nouveau 10 minutes, le temps que tous les légumes soient cuits. Salez et poivrez généreusement. Servez avec du pain grillé.

Velouté d'asperges

Pour 4 personnes

750 g de pointes d'asperges fraîches
1 litre de bouillon de légumes
30 g de beurre
1 c. s. de farine
1/2 c. c. de zeste de citron
finement râpé
quelques fines lanières de zeste
de citron pour garnir

1 Parez les pointes d'asperges et découpez-les en tronçons de 2 cm. Mettez-les dans une casserole avec 500 ml de bouillon. Couvrez, portez à ébullition puis laissez cuire 10 minutes.

2 Quand elles sont tendres, transférez les asperges et le bouillon chaud dans le bol du robot et mixez-le tout jusqu'à obtention d'un mélange onctueux. Procédez en plusieurs tournées. Faites fondre le beurre à feu doux, ajoutez la farine et laissez cuire 1 minute environ. Quand le beurre blanchit et devient mousseux, retirez-le du feu et incorporez progressivement le reste de bouillon, sans cesser de remuer, pour garder une texture onctueuse. Quand tout le bouillon est incorporé, remettez la casserole sur le feu, portez à ébullition puis laissez frémir 2 minutes.

3 Versez les asperges mixées dans la casserole et mélangez bien. Lorsque le velouté est chaud, ajoutez le zeste de citron râpé puis salez et poivrez. Garnissez de lanières de zeste de citron et servez aussitôt.

Soupe de poivron rouge au maïs et au piment

Pour 4 personnes

1 brin de coriandre
4 épis de maïs
30 g de beurre
2 poivrons rouges coupés en dés
1 petit oignon finement haché
1 petit piment rouge finement haché
1 c. s. de farine
500 ml de bouillon de légumes
125 ml de crème

1 Détachez les feuilles de coriandre de leur tige puis hachez finement celle-ci avec la racine. Détachez les grains de maïs des épis.

2 Faites chauffer le beurre à feu moyen. Ajoutez les grains de maïs, le poivron, l'oignon et le piment puis enrobez bien les légumes de beurre. Laissez cuire 10 minutes à feu doux, à couvert, en remuant de temps en temps. Passez sur feu moyen, ajoutez la racine et la tige de coriandre hachées puis laissez cuire 30 minutes. Saupoudrez de farine, remuez 1 minute, retirez la casserole du feu et incorporez progressivement le bouillon. Allongez-la soupe avec 500 ml d'eau, ramenez à ébullition, baissez le feu et poursuivez la cuisson 30 minutes à couvert. Laissez tiédir.

3 Mixez 500 ml de cette soupe puis reversez-la dans la casserole. Incorporez la crème et réchauffez doucement le tout. Salez et poivrez. Décorez de feuilles de coriandre et servez. Cette soupe est délicieuse avec du fromage de chèvre rôti sur du pain.

Soupe de légumes aux nouilles soba

Pour 4 personnes

250 g de nouilles soba
(nouilles japonaises)
2 champignons shiitake déshydratés
2 litres de bouillon de légumes
120 g de pois gourmands
coupés en lamelles
2 petites carottes
coupées en lamelles de 5 cm
2 gousses d'ail finement hachées
6 oignons nouveaux, les tiges coupées
en tronçons de 5 cm puis émincées
1 morceau de gingembre de 3 cm
coupé en fines lamelles
80 ml de sauce de soja
60 ml de mirin (vin de riz doux)
ou de saké (alcool de riz)
90 g de germes de soja
quelques feuilles de coriandre

1 Faites cuire les nouilles en suivant les instructions figurant sur le paquet puis égouttez-les.

2 Faites tremper les champignons dans 125 ml d'eau bouillante, le temps qu'ils se réhydratent. Égouttez-les et réservez le liquide. Jetez les pieds et émincez les chapeaux.

3 Mélangez le bouillon, les champignons, le liquide réservé, les pois gourmands, les carottes, l'ail, l'oignon nouveau et le gingembre dans une casserole. Portez à ébullition, baissez le feu et laissez mijoter 5 minutes. Quand les légumes sont tendres, incorporez la sauce de soja, le mirin et les germes de soja. Poursuivez la cuisson 3 minutes.

4 Répartissez les nouilles dans des bols. Versez le bouillon et les légumes chauds dessus puis garnissez de feuilles de coriandre.

Soupe de courge, patate douce et lentilles corail

Pour 4 personnes

500 g de courge butternut
350 g de patates douces à chair orange
1 c. s. d'huile d'olive
1 long piment rouge épépiné et haché
1 oignon finement haché
1,5 litre de bouillon de légumes
125 g de lentilles corail
1 c. s. de tahini (pâte de sésame)
1 piment rouge pour garnir

1 Épluchez la courge et les patates douces puis coupez-les en cubes. Faites chauffer l'huile à feu moyen dans une casserole, ajoutez le piment et l'oignon puis laissez fondre 2 à 3 minutes. Baissez le feu doux, ajoutez la courge et la patate douce. Poursuivez la cuisson 8 minutes à couvert, en remuant de temps en temps.

2 Augmentez le feu, versez le bouillon sur les légumes, portez à ébullition puis baissez à nouveau le feu et laissez mijoter 10 minutes à couvert. Ajoutez les lentilles et poursuivez la cuisson 7 minutes, toujours à couvert.

3 Quand les lentilles sont tendres, ajoutez le tahini. Mixez la soupe en plusieurs fois jusqu'à obtention d'une texture onctueuse. Remettez-la dans la casserole et réchauffez-la doucement. Garnissez-la de piment haché.

Soupe épaisse aux carottes et au gingembre

Pour 1 personnes

750 ml de bouillon de légumes
1 c. s. d'huile d'olive
1 oignon haché
1 c. s. de gingembre frais râpé
1 kg de carottes hachées
2 c. s. de feuilles de coriandre ciselées

1 Portez le bouillon à ébullition. Faites chauffer l'huile dans une casserole à fond épais puis laissez revenir l'oignon et le gingembre pendant 2 minutes.

2 Quand l'oignon fond, ajoutez le bouillon et les carottes. Portez à ébullition, baissez le feu et laissez cuire les carottes 10 à 15 minutes.

3 Mixez cette préparation en plusieurs fois jusqu'à obtention d'un mélange homogène. Réchauffez la soupe dans une casserole en l'allongeant d'eau ou de bouillon pour obtenir la consistance souhaitée. Incorporez la coriandre, salez et poivrez. Servez aussitôt.

Soupe thaï à la citronnelle

Pour 4 à 6 personnes

750 g de bouillon de légumes
2 c. s. de pâte de crevettes
ou de pâte tom yum (voir note)
2 morceaux de gingembre
de 2 cm x 2 cm, pelés et émincés
1 tige de citronnelle
légèrement écrasée
et coupée en tronçons de 4 cm
3 feuilles de kaffir
(citronnier thaïlandais) fraîches
1 petit piment rouge émincé en biseau
200 g de champignons de Paris
coupés en deux
200 g de tofu ferme
coupé en cubes de 1,5 cm
200 g de chou chinois
grossièrement émincé
2 c. s. de jus de citron vert
4 c. s. de feuilles de coriandre

1 Mettez le bouillon, la pâte de crevette, le gingembre, la citronnelle, les feuilles de kaffir, le piment et 750 ml d'eau dans une casserole. Couvrez, portez à ébullition, réduisez le feu et laissez frémir 5 minutes.

2 Ajoutez les champignons et le tofu puis poursuivez la cuisson 5 minutes. Ajoutez le chou chinois et laissez cuire encore 1 minute. Dès que ce dernier est flétri, retirez la casserole du feu et incorporez le jus de citron vert. Agrémentez de feuilles de coriandre et servez aussitôt.

PRATIQUE La pâte tom yum rappelle la pâte de crevettes mais elle ne contient aucune substance animale.

Soupe de bettes aux risonis

Pour 6 personnes

1 gousse d'ail pilée
1 gros oignon finement haché
30 g de beurre
2 litres de bouillon de légumes
200 g de risonis (petites pâtes
en forme de grain de riz)
6 tranches de baguette
15 g de beurre fondu
1 c. c. de moutarde de Dijon
50 g de gruyère grossièrement râpé
500 g de bettes émincées
sans la tige centrale
30 g de basilic grossièrement ciselé

1 Dans une casserole à fond épais, faites fondre l'ail et l'oignon 2 à 3 minutes dans le beurre chaud. Versez le bouillon dans une autre casserole et portez à ébullition.

2 Arrosez l'ail et l'oignon de bouillon chaud puis portez à nouveau à ébullition. Ajoutez les risonis, baissez le feu et laissez frémir 8 minutes en remuant de temps en temps.

3 Pendant ce temps, déposez les tranches de pain sur une plaque de cuisson et faites-les griller sur une face sous le gril préchauffé. Retournez-les et badigeonnez l'autre face du beurre mélangé à la moutarde. Saupoudrez de gruyère et glissez à nouveau la plaque sous le gril jusqu'à ce que le gruyère ait fondu.

4 Ajoutez les bettes et le basilic dans la casserole et laissez cuire environ 1 minute. Salez et poivrez. Servez la soupe accompagnée des croûtons au gruyère.

Chowder de maïs et pommes de terre

Pour 6 personnes

6 épis de maïs
2 c. s. d'huile végétale
I oignon coupé en petits dés
3 gousses d'ail pilées
I branche de céleri coupée
en petits dés
I carotte pelée et coupée en petits dés
2 grosses pommes de terre
pelées et coupées en petits dés
I litre de bouillon de légumes
2 c. s. de persil plat finement ciselé

I Portez une grande marmite d'eau salée à ébullition et faites cuire le maïs 5 minutes. Réservez 250 ml de liquide de cuisson. Détachez les grains des épis, mettez-en la moitié dans le bol du robot avec l'eau de cuisson réservée et mixez jusqu'à obtention d'une texture onctueuse.

2 Faites chauffer l'huile dans une casserole, ajoutez l'oignon, l'ail, le céleri et une grande pincée de sel puis laissez revenir 5 minutes. Ajoutez la carotte et les pommes de terre. Poursuivez la cuisson 5 minutes. Ajoutez le bouillon, le maïs en grains et le mélange passé au robot. Baissez le feu et laissez mijoter 20 minutes. Salez et poivrez généreusement. Incorporez le persil haché juste avant de servir.

Soupe de carottes et lentilles au curry

Pour 6 personnes

1,5 litre de bouillon de légumes
750 g de carottes râpées
185 g de lentilles corail
rincées et égouttées
1 c. s. d'huile d'olive
1 gros oignon haché
80 g de noix de cajou non salées
1 c. s. de pâte de curry
25 g de coriandre ciselée
125 g de yaourt grec
quelques feuilles de coriandre

1 Dans une casserole, portez le bouillon à ébullition. Ajoutez les carottes et les lentilles, ramenez à ébullition puis laissez cuire environ 8 minutes à feu doux.

2 Pendant ce temps, faites chauffer l'huile dans une casserole, ajoutez l'oignon et les noix de cajou puis faites cuire à feu moyen 2 à 3 minutes. Incorporez la pâte de curry et la coriandre. Poursuivez la cuisson 1 minute. Quand le curry libère son arôme, incorporez cette pâte dans la soupe aux carottes et aux lentilles.

3 Mixez la soupe jusqu'à obtention d'une texture onctueuse puis réchauffez-la à feu moyen dans la casserole. Salez et poivrez. Servez avec du yaourt, des feuilles de coriandre.

PRATIQUE Une pincée d'éclats de piment donnera à cette soupe encore plus de piquant.

Soupe de panais aux épices

Pour 6 personnes

1,25 litre de bouillon de légumes
30 g de beurre
1 oignon blanc émincé
1 poireau émincé
500 g de panais pelés et émincés
1 c. s. de curry en poudre
1 c. c. de cumin moulu
315 ml de crème
quelques feuilles de coriandre

1 Portez le bouillon à ébullition et laissez-le frémir à petit feu.

2 Dans une casserole, faites fondre le beurre à feu moyen. Ajoutez l'oignon, le poireau et les panais puis laissez-les revenir 5 minutes à couvert. Ajoutez le curry et le cumin puis poursuivez la cuisson 1 minute. Incorporez le bouillon et laissez cuire les légumes environ 10 minutes à feu moyen.

3 Mixez la soupe en plusieurs fois. Transvasez-la dans la casserole, incorporez la crème et réchauffez le tout à feu doux. Salez et poivrez. Décorez de feuilles de coriandre.

PRATIQUE Cette soupe sera tout aussi délicieuse et plus légère sans crème.

Soupe de pâtes aux légumes

Pour 4 personnes

1,25 litre de bouillon de légumes
90 g de pâtes torsadées
2 carottes émincées
1 courgette émincée
4 tomates mûres
grossièrement concassées
2 c. s. de feuilles de basilic
grossièrement ciselées

1 Portez le bouillon à ébullition dans une casserole à fond épais. Baissez le feu, ajoutez les pâtes, les carottes et la courgette puis laissez cuire 5 à 10 minutes. Les pâtes doivent être *al dente*.

2 Ajoutez les tomates et laissez chauffer encore quelques minutes. Salez et poivrez.

3 Versez la soupe dans les bols et saupoudrez de basilic.

Soupe de légumes au curry vert

Pour 6 personnes

2 c. c. d'huile d'arachide
1 c. s. de pâte de curry verte
3 feuilles de kaffir
(citronnier thaïlandais)
1,25 litre de bouillon de légumes
670 ml de lait de coco
600 g de courge butternut
coupée en dés de 1,5 cm
250 g de pâtissons émincés
115 g de jeunes épis de maïs
coupés en deux dans la longueur
2 c. s. de sauce de soja
2 c. s. de jus de citron vert
1 c. c. de sucre
2 c. s. de menthe finement ciselée

1 Faites chauffer l'huile dans une casserole. Ajoutez la pâte de curry et les feuilles de kaffir puis laissez cuire 1 minute à feu moyen jusqu'à ce que les ingrédients libèrent leurs arômes. Dans une autre casserole, portez le bouillon à ébullition.

2 Versez progressivement le bouillon et le lait de coco sur la préparation au curry puis portez le tout à ébullition. Ajoutez la courge, le pâtisson et le maïs. Laissez cuire à feu doux pendant 12 minutes.

3 Quand la courge est cuite, incorporez la sauce de soja et le jus de citron vert. Salez et poivrez à votre convenance puis ajoutez le sucre. Remuez. Saupoudrez de menthe ciselée juste avant de servir.

Velouté de patate douce et de poire

Pour 4 personnes

25 g de beurre
1 petit oignon blanc finement haché
750 g de patates douces à chair orangée en cubes de 2 cm
2 poires bien fermes pelées, sans le cœur, coupées en dés de 2 cm
750 ml de bouillon de légumes
250 ml de crème
quelques feuilles de menthe

1 Faites chauffer le beurre à feu moyen dans une casserole et faites fondre l'oignon 2 à 3 minutes sans le laisser brunir. Ajoutez les patates douces et les poires puis poursuivez la cuisson 1 à 2 minutes, tout en remuant. Versez le bouillon, portez à ébullition et laissez cuire 20 minutes.

2 Mixez le mélange jusqu'à obtention d'un mélange onctueux. Incorporez la crème et réchauffez doucement, sans laisser bouillir. Salez et poivrez. Décorez de feuilles de menthe et servez aussitôt.

Soupe de tortellinis aux champignons

Pour 4 personnes

1 c. s. d'huile d'olive
175 g de petits champignons
de Paris émincés
6 oignons nouveaux émincés
1 petite gousse d'ail pilée
1,25 litre de bouillon de légumes
1 c. s. de porto blanc
2 c. s. de sauce Worcestershire
200 g de tortellinis à la ricotta
quelques copeaux de parmesan

1 Faites chauffer l'huile dans une casserole à fond épais et laissez dorer les champignons 2 minutes à feu vif. Ajoutez l'oignon nouveau et l'ail puis poursuivez la cuisson 1 minute.

2 Dans une autre casserole, portez le bouillon à ébullition. Incorporez, le porto et la sauce Worcestershire puis les champignons. Portez à ébullition. Ajoutez les tortellinis et faites-les cuire *al dente* environ 8 minutes.

3 Salez et poivrez généreusement. Servez avec des copeaux de parmesan.

Soupe de printemps au pesto

Pour 4 personnes

1,25 litre de bouillon de légumes
1 c. s. d'huile d'olive
8 oignons nouveaux émincés
2 branches de céleri émincées
12 jeunes carottes émincées
310 g d'asperges parées
et coupées en tronçons de 3 cm
150 g de jeunes épis de maïs
coupés en tronçons de 3 cm
60 g de pesto frais (voir p. 83)
quelques copeaux de parmesan

1 Portez le bouillon à ébullition. Pendant ce temps, faites chauffer l'huile dans une casserole à fond épais puis laissez cuire l'oignon et le céleri 5 minutes à feu moyen, à couvert.

2 Quand l'oignon fond, versez le bouillon chaud et mélangez bien le tout.

3 Mettez les carottes, les asperges et le maïs dans la casserole. Ramenez à ébullition puis baissez le feu et laissez mijoter 10 minutes.

4 Versez cette soupe dans les bols. Garnissez d'une cuillerée de pesto, salez, poivrez et agrémentez de copeaux de parmesan.

Soupe glacée à l'ail et aux amandes

Pour 4 à 6 personnes

1 baguette sans la croûte
155 g d'amandes entières blanchies
3 à 4 gousses d'ail hachées
125 ml d'huile d'olive
80 ml de xérès
ou de vinaigre de vin blanc
315 à 375 ml de bouillon de légumes
2 c. s. d'huile d'olive en supplément
75 g de tranches de pain épaisses,
sans la croûte et coupées en cubes
200 g de raisin vert sans pépins

1 Faites tremper le pain 5 minutes dans l'eau froide et pressez-le pour en extraire le liquide en excédent. Hachez finement les amandes et l'ail au robot. Ajoutez le pain et mixez jusqu'à obtention d'un mélange homogène.

2 Le moteur toujours en marche, versez l'huile d'olive en un filet mince et régulier puis incorporez lentement le xérès et 315 ml de bouillon. Mixez 1 minute, salez et réservez au moins 2 heures au réfrigérateur. Cette soupe épaissit en refroidissant; il faudra peut-être la rallonger avec un peu d'eau ou de bouillon.

3 Avant le repas, faites chauffer l'huile en supplément dans une poêle, laissez dorer le pain 2 à 3 minutes puis épongez-le sur du papier absorbant. Servez la soupe très froide, garnie de croûtons et de grains de raisins.

Soupe aux épinards

Pour 4 personnes

30 g de beurre
1 oignon finement haché
500 g de pommes de terre râpées grossièrement
1 litre de bouillon de légumes
500 g d'épinards surgelés hachés
1/4 c. c. de noix de muscade moulue
un peu de crème aigre (facultatif)

1 Faites chauffer le beurre dans une casserole et faites dorer l'oignon, en remuant de temps en temps, sans le laisser brunir.

2 Ajoutez les pommes de terre et le bouillon dans la casserole puis mélangez bien, en grattant le fond. Mettez les épinards encore congelés dans la casserole, couvrez et laissez cuire en remuant régulièrement. Quand les épinards sont décongelés, découvrez et laissez mijoter 10 à 15 minutes. Remuez fréquemment pour éviter que la soupe n'attache. Quand les pommes de terre sont bien cuites, mixez la soupe en procédant en plusieurs fois.

3 Réchauffez-la doucement et ajoutez la noix de muscade. Salez et poivrez. Servez cette soupe dans des bols, agrémentée d'un filet de crème aigre.

Soupe italienne aux haricots blancs

Pour 4 personnes

2 boîtes de 400 g de haricots cannellini
1 c. s. d'huile d'olive
1 poireau finement haché
2 gousses d'ail pilées
1 c. c. de feuilles de thym
2 branches de céleri coupées en dés
1 carotte coupée en dés
1 kg de bettes parées
et finement hachées
1 tomate mûre coupée en dés
1 litre de bouillon de légumes
8 tranches de baguette
2 c. c. de vinaigre balsamique
35 g de parmesan finement râpé

1 Au robot ou au mixeur, réduisez le contenu d'une boîte de haricots avec leur eau en une purée onctueuse. Égouttez les haricots de l'autre boîte, réservez-les et jetez l'eau.

2 Faites chauffer l'huile dans une casserole à fond épais, ajoutez le poireau, l'ail et le thym puis laissez cuire 2 à 3 minutes, de sorte qu'ils libèrent leurs arômes. Mettez alors le céleri, la carotte, les bettes et la tomate dans la casserole. Poursuivez la cuisson 2 à 3 minutes. Pendant ce temps, faites chauffer le bouillon dans une autre casserole.

3 Incorporez la purée de haricots et le bouillon à la préparation aux légumes. Portez à ébullition, baissez le feu et laissez frémir 5 à 10 minutes. Quand les légumes sont cuits, ajoutez les haricots entiers et laissez-les cuire. Salez et poivrez.

4 Déposez 2 tranches de baguette dans chaque bol. Incorporez le vinaigre balsamique à la soupe et versez-la sur le pain. Servez avec parmesan râpée.

PRATIQUE Cette recette typiquement florentine peut être relevée avec un peu de piment haché.

Soupe de légumes et pois cassés

Pour 4 personnes

1 c. s. d'huile d'arachide
ou d'huile végétale
1 oignon haché
2 gousses d'ail hachées
2 c. c. de gingembre frais haché
2 c. s. de pâte de curry
100 g de pois cassés rincés et égouttés
1 grosse courgette pelée et hachée
1 grosse carotte grossièrement hachée
170 g de champignons de Paris
grossièrement hachés
1 branche de céleri
grossièrement hachée
1 litre de bouillon de légumes
125 ml de crème

1 Faites chauffer l'huile dans une casserole, ajoutez l'oignon et laissez-le fondre 5 minutes à feu doux. Ajoutez l'ail, le gingembre et la pâte de curry puis laissez cuire 2 minutes à feu moyen. Incorporez les pois cassés, remuez bien puis ajoutez la courgette, la carotte, les champignons et le céleri. Poursuivez la cuisson 2 minutes.

2 Versez le bouillon sur les légumes, portez à ébullition, baissez le feu et laissez mijoter 1 heure, sans couvrir totalement. Retirez la casserole du feu et laissez tiédir.

3 Mixez la soupe en procédant en plusieurs fois. Incorporez la crème et laissez réchauffer doucement. Cette soupe est délicieuse accompagnée de naans (pains plats indiens).

Soupe de poivron et pois chiches aux épinards

Pour 4 personnes

1 c. s. d'huile d'olive
8 oignons nouveaux émincés
1 poivron rouge
1 gousse d'ail pilée
1 c. c. de graines de cumin
375 ml de coulis de tomate
750 ml de bouillon de légumes
300 g de pois chiches en boîte rincés et égouttés
3 c. c. de vinaigre de vin rouge
1 à 2 c. c. de sucre
100 g de pousses d'épinards

1 Faites chauffer l'huile dans une casserole à fond épais et laissez fondre l'oignon nouveau 2 à 3 minutes à feu doux. Pendant ce temps, retirez les graines et les membranes du poivron puis coupez-le en petits dés. Ajoutez le poivron, l'ail et les graines de cumin dans la casserole puis laissez cuire 1 minute.

2 Versez le coulis de tomate et le bouillon sur les légumes. Portez à ébullition, baissez le feu puis laissez mijoter 10 minutes. Ajoutez les pois chiches, le vinaigre et le sucre. Poursuivez la cuisson 5 minutes.

3 Ajoutez les pousses d'épinards, salez et poivrez. Coupez le feu et laissez reposer 1 à 2 minutes avant de servir. Les pousses d'épinards doivent être juste flétries.

Velouté de poireau au fenouil

Pour 6 personnes

30 g de beurre
2 gros bulbes de fenouil émincés
2 poireaux émincés
1 litre de bouillon de légumes
2 brins de romarin
1 pincée de noix de muscade moulue
80 g de crème aigre
25 g de parmesan finement râpé
1 c. s. d'huile
1 poireau en supplément,
coupé en lanières de 4 cm
un peu parmesan râpé et de crème
aigre pour garnir

1 Faites chauffer le beurre dans une casserole à fond épais puis laissez fondre le fenouil et le poireau à couvert, 2 à 3 minutes à feu moyen, en remuant de temps en temps.

2 Mettez le bouillon, les brins de romarin et la noix de muscade dans une casserole puis portez à ébullition. Laissez mijoter environ 15 minutes à feu doux, enlevez les brins de romarin puis ajoutez la préparation au fenouil et au poireau.

3 Mixez la soupe, incorporez la crème aigre et le parmesan puis laissez réchauffer à feu moyen. Salez et poivrez. Réservez au chaud.

4 Faites chauffer l'huile dans une poêle et laissez fondre les lanières de poireau 2 à 3 minutes sans les laisser brunir.

5 Répartissez la soupe dans des bols et décorez de poireau frit. Garnissez de parmesan et de crème puis servez.

Velouté de champignons aux échalotes

Pour 4 personnes

2 c. s. de beurre
100 g d'échalotes hachées
3 gousses d'ail pilées
30 g de feuilles de persil plat
315 ml de bouillon de légumes
ou de bouillon de volaille
315 ml de lait
600 g de champignons de Paris
1/4 c. c. de noix de muscade moulue
1/4 c. c. de poivre de Cayenne
150 g de crème aigre allégée

1 Faites fondre le beurre dans une casserole à fond épais puis laissez cuire les échalotes, l'ail et le persil 2 à 3 minutes à feu moyen. Dans une autre casserole, portez le bouillon et le lait à ébullition.

2 Essuyez les champignons, hachez-les et incorporez-les à la préparation aux échalotes. Salez et poivrez avant d'ajouter la noix de muscade et le poivre de Cayenne. Laissez cuire 1 minute en remuant. Versez le bouillon et lait, portez à ébullition, baissez le feu et laissez frémir 5 minutes. Mixez la soupe puis remettez-la dans la casserole.

3 Incorporez la crème aigre, rectifiez l'assaisonnement et réchauffez doucement. Servez aussitôt

PRATIQUE Pour parfaire la garniture, faites dorer quelques champignons de Paris dans un peu de beurre pendant que la soupe réchauffe. Saupoudrez chaque bol d'un peu de poivre de Cayenne pour décorer.

Soupe chinoise aux nouilles

Pour 4 personnes

8 champignons chinois déshydratés
100 g de vermicelle de riz
800 g de brocolis chinois
coupés en tronçons de 5 cm
100 g de tofu frit
coupé en fines tranches
125 g de germes de soja
1 litre de bouillon de légumes
2 c. s. de sauce de soja claire
2 c. s. de vin de riz chinois
3 oignons nouveaux finement hachés
quelques feuilles de coriandre

1 Dans un saladier, couvrez les champignons d'eau bouillante et laissez-les tremper 15 minutes. Égouttez-les et réservez 125 ml de cette eau. Pressez les champignons pour en extraire l'eau en excédent, jetez les pieds et émincez finement les chapeaux.

2 Faites tremper le vermicelle 5 minutes dans l'eau bouillante. Égouttez-le puis répartissez le vermicelle, les brocolis, le tofu et les germes de soja dans les bols de service.

3 Mettez le liquide réservé, le bouillon, la sauce de soja, le vin de riz, les oignons nouveaux et les champignons dans une casserole. Portez à ébullition puis laissez cuire à couvert 10 minutes.

4 Versez la soupe dans les bols et garnissez de feuilles de coriandre.

Soupe de lentilles à l'indienne

Pour 6 personnes

2 c. s. d'huile d'olive
2 gousses d'ail pilées
1 petit blanc de poireau haché
2 c. c. de poudre de curry
1 c. c. de cumin moulu
1 c. c. de garam masala
(mélange d'épices grillés)
1 litre de bouillon de légumes
1 feuille de laurier
185 g de lentilles brunes
450 g de courge butternut
coupée en dés de 1 cm
2 courgettes coupées en deux
dans la longueur puis émincées
400 g de tomates concassées en boîte
200 g de brocolis détaillés en fleurettes
1 petite carotte coupée en dés
80 g de petits pois
1 c. s. de menthe ciselée

Yaourt épicé
250 g de yaourt épais nature
1 c. s. de feuilles de coriandre ciselées
1 gousse d'ail pilée
3 traits de Tabasco

1 Faites chauffer l'huile à feu moyen puis laissez fondre l'ail et le poireau 4 à 5 minutes. Quand ils sont légèrement dorés, incorporez la poudre de curry, le cumin et le garam masala puis laissez cuire 1 minute, de sorte qu'ils libèrent leurs arômes.

2 Ajoutez le bouillon, la feuille de laurier, les lentilles et la courge. Portez à ébullition puis baissez le feu. Laissez cuire 10 à 15 minutes à feu doux. Salez et poivrez généreusement.

3 Incorporez les courgettes, les tomates, les brocolis, la carotte et 500 ml d'eau puis laissez cuire encore 10 minutes. Quand les légumes sont tendres, ajoutez les petits pois et poursuivez la cuisson 2 à 3 minutes.

4 Mettez le yaourt, la coriandre, l'ail et le Tabasco dans un récipient puis mélangez bien.

5 Garnissez chaque bol de soupe d'une cuillerée de yaourt et servez avec de la menthe ciselée.

Soupe de courge

Pour 4 personnes

500 ml de bouillon de légumes
750 g de courge butternut
coupée en dés de 1,5 cm
2 oignons hachés
2 gousses d'ail coupées en deux
1/4 c. c. de noix de muscade moulue
60 ml de crème liquide

1 Dans une casserole à fond épais, portez à ébullition le bouillon et 500 ml d'eau. Ajoutez la courge, l'oignon et l'ail, ramenez à ébullition puis baissez légèrement le feu et laissez cuire 15 minutes à feu moyen.

2 Égouttez les légumes et réservez le bouillon de cuisson. Au mixeur, réduisez la courge en purée en ajoutant du bouillon si nécessaire pour obtenir une texture onctueuse. Remettez la purée dans la casserole et incorporez le bouillon jusqu'à obtention de la consistance souhaitée. Assaisonnez de noix de muscade. Salez et poivrez.

3 Versez dans les bols et décorez d'un filet de crème. Servez avec du pain grillé.

Soupe de roquette

Pour 6 personnes

1,5 litre de bouillon de légumes
1,25 kg de pommes de terre coupées
en petits morceaux
2 grosses gousses d'ail pelées
250 g de roquette
1 c. s. d'huile d'olive
quelques feuilles de roquette
pour décorer
quelques copeaux de parmesan

1 Portez le bouillon à ébullition. Ajoutez la pomme de terre et l'ail puis laissez cuire 15 minutes à feu moyen. La pomme de terre doit être tendre sous la pointe d'un couteau. Ajoutez la roquette et poursuivez la cuisson 2 minutes avant d'incorporer l'huile d'olive.

2 Mixez la soupe jusqu'à obtention d'une texture onctueuse. Réchauffez-la dans la casserole à feu moyen. Salez et poivrez. Versez la soupe dans les bols. Garnissez de feuilles de roquette et de copeaux de parmesan juste avant de servir.

Consommé aux raviolis et aux pois gourmands

Pour 2 personnes

750 ml de bouillon de légumes
250 g de raviolis aux épinards
et à la ricotta
85 g de pois gourmands
coupés en biseau
2 c. s. de persil plat ciselé
2 c. s. de basilic ciselé
un peu de parmesan râpé

I Dans une casserole à fond épais, portez le bouillon à ébullition et faites cuire les raviolis 8 à 10 minutes pour une cuisson *al dente*.

2 Salez et poivrez puis incorporez les pois gourmands, le persil et le basilic. Versez la soupe dans les bols. Saupoudrez de parmesan râpé juste avant de servir.

Soupe glacée aux poivrons grillés

Pour 4 personnes

4 poivrons rouges
2 c. c. d'huile
2 gousses d'ail pilées
4 oignons nouveaux émincés
1 c. c. de piments épépinés et émincés
425 g de tomates concassées en boîte
125 ml de bouillon de légumes froid
1 c. c. de vinaigre balsamique
2 c. s. de basilic ciselé

1 Coupez les poivrons en quartiers puis retirez les graines et les membranes. Passez-les sous le gril, la peau sur le dessus, jusqu'à ce qu'elle cloque et noircisse. Laissez-les refroidir dans un sac en plastique, pelez-les puis hachez grossièrement la chair.

2 Faites chauffer l'huile dans une casserole, ajoutez l'ail, l'oignon nouveau et le piment puis laissez cuire 1 à 2 minutes à feu doux, jusqu'à ce qu'ils soient tendres.

3 Transférez ces légumes dans le bol du robot avec le poivron, les tomates concassées et le bouillon. Mixez jusqu'à obtention d'un mélange homogène puis incorporez le vinaigre et le basilic. Salez et poivrez. Laissez refroidir au réfrigérateur. Servez cette soupe glacée.

Soupe de patate douce au piment

Pour 4 personnes

1 c. s. d'huile
1 oignon haché
2 gousses d'ail finement hachées
1 à 2 petits piments rouges
finement hachés
1/4 c. c. de paprika
750 g de patates douces à chair orange
coupées en petits morceaux
1 litre de bouillon de légumes
quelques piments séchés

1 Faites chauffer l'huile dans une casserole à fond épais et laissez fondre l'oignon 1 à 2 minutes. Ajoutez l'ail, le piment et le paprika. Poursuivez la cuisson 2 minutes, le temps que ces ingrédients libèrent leurs arômes. Ajoutez la patate douce et remuez pour bien l'enrober d'épices.

2 Versez le bouillon dans la casserole, portez à ébullition, baissez le feu et laissez mijoter 15 minutes. Mixez la soupe jusqu'à obtention d'un mélange homogène, en ajoutant si nécessaire un peu d'eau pour obtenir la consistance souhaitée.

3 Salez et poivrez. Versez la soupe dans les bols et décorez de piments séchés grossièrement concassés.

Soupe de courgette

Pour 4 personnes

1 c. s. d'huile d'olive
1 gros oignon finement haché
2 gousses d'ail pilées
750 ml de bouillon de légumes
750 g de courgettes émincées
60 ml de crème fraîche
quelques tranches de pain ciabatta
grillées

Pesto
50 g de basilic
25 g de parmesan finement râpé
2 c. s. de pignons de pin grillés
2 c. s. d'huile d'olive

1 Faites chauffer l'huile dans une casserole à fond épais puis laissez fondre l'oignon et l'ail 5 minutes à feu moyen.

2 Dans une autre casserole, portez le bouillon à ébullition. Incorporez la courgette et le bouillon aux oignons fondus. Ramenez à ébullition, baissez le feu et laissez frémir 10 minutes à couvert.

3 Pour préparer le pesto, mettez le basilic, le parmesan et les pignons de pin dans le bol du robot puis hachez finement le tout environ 20 secondes. Incorporez l'huile en un filet mince sans cesser de mixer jusqu'à obtention d'une pâte lisse. Transférez le pesto dans un petit bol.

4 Mixez la préparation aux courgettes en procédant en plusieurs fois puis remettez-la dans la casserole. Incorporez la crème et 2 cuillerées à soupe de pesto. Faites réchauffer à feu moyen. Salez et poivrez. Servez avec du pain grillé. Présentez le reste du pesto dans un petit bol.

Minestrone

Pour 4 personnes

80 g de petits macaronis
1 poireau émincé
2 gousses d'ail pilées
1 carotte émincée
1 pomme de terre bien ferme hachée
1 courgette émincée
2 branches de céleri émincées
100 g de haricots verts
coupés en petits tronçons
425 g de tomates concassées en boîte
2 litres de bouillon de légumes
2 c. s. de purée de tomates
425 g de haricots blancs en boîte
rincés et égouttés
2 c. s. de persil plat ciselé
un peu de parmesan en copeaux

1 Dans une casserole d'eau bouillante, faites cuire les macaronis 10 à 12 minutes puis égouttez-les.

2 Pendant ce temps, faites chauffer l'huile dans une casserole à fond épais, ajoutez le poireau et l'ail puis laissez cuire à feu moyen 3 à 4 minutes.

3 Ajoutez la carotte, la pomme de terre, la courgette, le céleri, les haricots verts, les tomates, le bouillon et la purée de tomates. Portez le tout à ébullition, baissez le feu et laissez cuire les légumes pendant 10 minutes.

4 Incorporez les macaronis et les haricots puis laissez chauffer le tout. Servez ce minestrone dans des bols chauds, agrémenté de persil et de copeaux de parmesan.

VARIANTE Le minestrone peut être préparé avec tous les légumes. C'est une recette idéale pour accommoder les restes d'autres préparations.

Soupe de pois chiches

Pour 4 personnes

1 litre de bouillon de légumes
2 c. s. d'huile d'olive
1 oignon finement haché
1 grosse pomme de terre
coupées en dés de 1,5 cm
2 c. c. de paprika
2 gousses d'ail pilées
400 g de pois chiches en boîte égouttés
1 grosse tomate coupée en petits dés
50 g d'épinards grossièrement émincés
25 g de parmesan râpé

1 Mettez le bouillon dans une casserole, couvrez et portez à ébullition. Faites chauffer l'huile dans une sauteuse à fond épais et laissez fondre l'oignon 2 à 3 minutes.

2 Ajoutez dans la sauteuse la pomme de terre, le paprika, l'ail et les pois chiches. Remuez rapidement sur le feu puis mettez le mélange dans le bouillon chaud et portez à ébullition. Ajoutez la tomate puis salez et poivrez.

3 Laissez mijoter 10 minutes. Quand la pomme de terre est tendre, ajoutez les épinards et laissez chauffer jusqu'à ce qu'ils flétrissent. Salez et poivrez. Servez la soupe avec du parmesan râpé.

Soupe de topinambour au safran

Pour 4 personnes

1 pincée de filaments de safran
250 g de topinambours
2 c. s. de jus de citron
1 c. s. d'huile d'olive
1 gros oignon finement haché
1 litre de bouillon de légumes
3 c. c. de cumin moulu
500 g de pommes de terre
râpées grossièrement
2 c. c. de jus de citron en supplément

1 Faites infuser le safran dans 2 cuillerées à soupe d'eau bouillante, jusqu'à utilisation. Pelez et détaillez les topinambours en tranches fines puis faites-les tremper dans de l'eau citronnée pour éviter qu'ils ne noircissent. Dans une casserole, portez le bouillon à ébullition.

2 Faites chauffer l'huile dans une casserole à fond épais et laissez fondre l'oignon à feu moyen 2 à 3 minutes. Incorporez le cumin et poursuivez la cuisson 30 secondes, le temps qu'il libère son arôme. Ajoutez les topinambours égouttés, les pommes de terre, le safran, le bouillon chaud et le jus de citron en supplément. Portez à ébullition, baissez le feu et laissez mijoter 15 à 18 minutes. Les topinambours doivent être bien tendres.

3 Passez la soupe au mixeur jusqu'à obtention d'une texture onctueuse, en procédant en plusieurs fournées. Réchauffez-la dans la casserole à feu moyen. Salez et poivrez.

Les salades

Carottes
à la marocaine

Pour 4 personnes

2 c. c. de graines de cumin
1/2 c. c. de graines de coriandre
1 c. s. de vinaigre de vin rouge
2 c. s. d'huile d'olive
1 gousse d'ail pilée
2 c. c. de harissa
1/4 c. c. d'eau de fleur d'oranger
600 g de jeunes carottes
bien grattées sans les tiges
40 g de grosses olives vertes
dénoyautées et émincées
2 c. s. de menthe grossièrement ciselée
30 g de cresson

1 Dans une petite poêle, faites sauter les graines de cumin et de coriandre à sec pendant 30 secondes jusqu'à ce qu'elles libèrent leurs arômes. Laissez-les refroidir, concassez-les au mortier ou dans un moulin à épices puis placez-les dans un saladier avec le vinaigre, l'huile, l'ail, la harissa et l'eau de fleur d'oranger. Mélangez bien.

2 Faites blanchir les carottes 5 minutes dans l'eau bouillante salée. Égouttez-les puis laissez-les sécher quelques minutes dans la passoire. Ajoutez-les encore chaudes dans le saladier et remuez pour les enrober de sauce. Laissez refroidir à température ambiante pour que les carottes s'imprègnent de la sauce. Ajoutez les olives vertes et la menthe puis servez sur le cresson.

Betteraves rôties en salade

Pour 4 personnes

2 c. s. de vinaigre de vin rouge
80 ml d'huile de noix
1 gousse d'ail pilée
1 c. c. de moutarde de Dijon
12 échalotes
12 gousses d'ail
6 petites betteraves rouges crues bien grattées
2 c. s. d'huile végétale
70 g de jeunes feuilles de betterave ou de pousses d'épinards
50 g de noix grillées

1 Préchauffez le four à 200 °C. Dans un petit bol, fouettez le vinaigre, l'huile de noix, l'ail et la moutarde. Salez et poivrez généreusement. Réservez.

2 Placez les échalotes et l'ail dans un petit plat à rôtir, les betteraves dans un autre plat. Versez 1 cuillerée à soupe d'huile végétale dans chaque plat puis mélangez bien. Faites cuire les betteraves 1 heure au four, l'ail et les échalotes 30 minutes. Vérifier la cuisson en piquant les betteraves avec la pointe d'un couteau. Laissez tiédir 10 minutes hors du four.

3 Pelez l'ail et les échalotes. Coupez les betteraves en quartiers. Mettez le tout dans un saladier, nappez de sauce, remuez délicatement puis laissez tiédir à température ambiante.

4 Mettez les feuilles de betterave et les noix dans des assiettes creuses. Garnissez de salade de betterave tiède. Servez aussitôt.

Chou-fleur grillé au sésame

Pour 4 personnes

Sauce au sésame
3 c. s. de tahini (pâte de sésame)
1 gousse d'ail pilée
60 ml de vinaigre de riz
1 c. s. d'huile végétale
1 c. c. de jus de citron vert
1/4 c. c. d'huile de sésame

1 chou-fleur de taille moyenne
12 gousses d'ail pilées
2 c. s. d'huile végétale
2 cœurs de romaine
50 g de cresson
2 c. c. de graines de sésame grillées
1 c. s. de persil finement haché

1 Pour préparer la sauce, mettez le tahini, l'ail, le vinaigre de riz, l'huile végétale, le jus de citron vert, l'huile de sésame et 1 cuillerée à soupe d'eau dans un saladier. Mélangez bien le tout. Salez et poivrez.

2 Détaillez le chou-fleur en petits bouquets, parsemez-les d'ail et badigeonnez-les d'huile végétale. Salez et poivrez avant de les faire cuire sur un gril en fonte préchauffé. Retournez-les en cours de cuisson pour qu'ils cuisent uniformément.

3 Disposez la salade et le cresson sur un plat de service puis garnissez de bouquets de chou-fleur grillés. Nappez de sauce et saupoudrez de graines de sésame et de persil. Servez immédiatement.

Salade de papaye verte

Pour 4 personnes

**500 g de papaye verte
pelée et épépinée**
1 à 2 petits piments rouges émincés
1 c. s. de sucre de palme
1 c. s. de sauce de soja
2 c. s. de jus de citron vert
1 c. s. d'ail frit
1 c. s. d'échalote frite
**50 g de haricots verts
coupés en tronçons de 1 cm**
8 tomates cerises coupées en quatre
2 c. s. de cacahuètes grillées concassées

1 Râpez la papaye puis mettez-la dans un saladier avec les haricots et les tomates.

2 Mettez le piment, le sucre de palme, la sauce de soja et le jus de citron vert dans un mortier. Pilez légèrement le tout. Répartissez la salade de papaye sur les assiettes de service, nappez de sauce et garnissez d'ail et d'échalote frits puis de cacahuètes concassées. Servez aussitôt.

PRATIQUE Vous trouverez des échalotes et de l'ail frits dans les épiceries asiatiques.

Salade tiède de patates douces et de pâtes

Pour 4 personnes

750 g de patates douces à chair orangée
2 c. s. d'huile d'olive
500 g de pâtes courtes de votre choix
325 g de feta marinée à l'huile
3 c. s. de vinaigre balsamique
155 g d'asperges vertes coupées en petits tronçons
100 g de roquette ou de pousses d'épinards
2 tomates concassées
40 g de pignons de pin grillés

1 Préchauffez le four à 200 °C. Pelez les patates douces et coupez-les en gros morceaux. Placez-les dans un plat à rôtir, arrosez d'huile d'olive puis salez et poivrez généreusement. Faites-les rôtir 20 minutes.

2 Faites cuire les pâtes dans une casserole d'eau bouillante puis égouttez-les soigneusement.

3 Pour la sauce, récupérez 3 cuillerées à soupe d'huile de la feta marinée et mélangez-la au vinaigre balsamique.

4 Faites cuire les asperges jusqu'à ce qu'elles soient luisantes et tendres puis égouttez-les soigneusement.

5 Mélangez les pâtes, les patates douces, les asperges, la roquette, la feta, les tomates et les pignons de pin dans un saladier. Nappez de sauce et remuez délicatement. Salez et poivrez. Servez aussitôt.

Tomate-mozzarella

Pour 4 personnes

3 grosses tomates
250 g de mozarella
12 feuilles de basilic entières
60 ml d'huile d'olive
4 feuilles de basilic grossièrement ciselées pour garnir

1 Coupez les tomates en 12 tranches de 1 cm puis détaillez la mozzarella en 24 tranches de même épaisseur.

2 Sur un plat de service, disposez en alternance 1 tranche de tomate, 1 tranche de mozzarella, 1 feuille de basilic en répétant l'opération autant de fois que nécessaire.

3 Arrosez d'huile d'olive puis garnissez de basilic ciselé. Salez et poivrez généreusement.

Salade tiède de pommes de terre aux olives vertes

Pour 6 personnes

1,5 kg de pommes de terre
à chair ferme grattées
90 g d'olives vertes dénoyautées
et finement hachées
2 c. c. de câpres finement hachées
15 g de persil finement haché
1 c. c. de **zeste de citron** finement râpé
2 c. s. de jus de citron
2 gousses d'ail pilées
125 ml d'huile d'olive

I Faites cuire les pommes de terre 15 minutes dans l'eau bouillante, égouttez-les puis laissez-les refroidir légèrement. Pour vérifier la cuisson, enfoncez la pointe d'un couteau dans une pomme de terre et assurez-vous qu'elle ressort sans difficulté.

2 Mettez les olives, les câpres, le persil, le zeste, le jus de citron, l'ail et l'huile d'olive dans un bol. Battez soigneusement à la fourchette.

3 Coupez les pommes de terre en deux, versez la sauce et remuez délicatement. Salez et poivrez à votre convenance. Servez tiède.

Gado gado

Pour 4 personnes

2 petites carottes émincées
100 g de chou-fleur
détaillé en fleurettes
60 g de pois gourmands
100 g de germes de soja
8 belles feuilles de laitue iceberg
4 petites pommes de terre cuites
en tranches fines
1 petit concombre en tranches fines
2 œufs durs coupés en quartiers
2 tomates mûres coupées en quartiers

Sauce aux cacahuètes
1 c. s. d'huile
1 petit oignon finement haché
125 g de beurre de cacahuètes
185 ml de lait de coco
1 c. c. de sambal oelek
(condiment indonésien
à base de piment)
1 c. s. de jus de citron vert
1 c. s. de ketjap manis
(sauce de soja douce indonésienne)

1 Faites cuire les carottes et le chou-fleur 5 minutes à la vapeur. Quand ils sont presque tendres, ajoutez les pois gourmands et poursuivez la cuisson 2 minutes. Ajoutez les germes de soja et laissez cuire 1 minute de plus. Retirez la casserole du feu et laissez refroidir.

2 Pour préparer la sauce, faites chauffer l'huile dans une casserole puis laissez fondre et dorer l'oignon 5 minutes à feu moyen. Ajoutez le beurre de cacahuètes, le lait de coco, le sambal oelek, le jus de citron, le ketjap manis et 60 ml d'eau tout en remuant. Portez à ébullition, sans cesser de remuer, baissez le feu puis laissez mijoter 5 minutes jusqu'à ce que la sauce réduise et épaississe.

3 Formez 4 coupes en disposant deux feuilles de laitue l'une dans l'autre.

4 Garnissez chaque coupe de pomme de terre, de carotte, de chou-fleur, de pois gourmands, de germes de soja et de concombre. Nappez les légumes de sauce aux cacahuètes puis décorez d'œuf dur et de tomate.

Salade d'oranges et fenouil rôti

Pour 4 personnes

8 petits bulbes de fenouil
5 c. s. d'huile d'olive
2 oranges
1 c. s. de jus de citron
1 oignon rouge émincé
100 d'olives noires
2 c. s. de menthe ciselée
1 c. s. de persil plat ciselé

1 Préchauffez le four à 200 °C. Débarrassez les bulbes de leur feuillage et réservez ce dernier. Enlevez les tiges, coupez la base des bulbes puis détaillez chacun d'eux en 6 quartiers. Déposez ces derniers dans un plat à rôtir et arrosez de 3 cuillerées à soupe d'huile d'olive. Salez et poivrez. Faites cuire 40 à 45 minutes au four, jusqu'à ce que le fenouil soit tendre et légèrement caramélisé. Retournez les bulbes une ou deux fois en cours de cuisson. Laissez refroidir.

2 Pelez les oranges à vif puis séparez-les en quartiers au-dessus d'un saladier pour récupérer le jus.

3 Battez ensemble l'huile restante, le jus d'orange et le jus de citron jusqu'à obtention d'une émulsion. Salez et poivrez généreusement. Placez les quartiers d'orange, l'oignon et les olives dans un saladier. Versez la moitié de la sauce dessus et ajoutez la moitié de la menthe. Mélangez bien ces ingrédients et transférez-les dans le plat de service. Couvrez de fenouil, nappez du reste de sauce et parsemez du persil et du reste de menthe. Hachez le feuillage des bulbes et ajoutez-le sur la salade.

Taboulé

Pour 6 personnes

130 g de boulgour
3 tomates mûres
1 concombre
4 oignons nouveaux émincés
80 ml de jus de citron
sel et poivre du moulin
60 ml d'huile d'olive
120 g de persil plat ciselé
25 g de menthe ciselée

1 Faites tremper le boulgour 1 h 30 dans 500 ml d'eau.

2 Coupez les tomates en deux, pressez-les pour en extraire les pépins puis détaillez-les en dés de 1 cm. Coupez le concombre en deux dans la longueur, épépinez-le à la cuillère et détaillez la chair en dés de 1 cm.

3 Mettez le jus de citron dans un bol puis salez et poivrez. Versez l'huile en un filet mince en fouettant bien.

4 Égouttez le boulgour puis pressez-le dans un torchon pour extraire l'eau en excédent. Étalez-le sur un torchon sec ou sur du papier absorbant puis laissez-le sécher 30 minutes. Dans un saladier, mélangez le boulgour, la tomate, le concombre, l'oignon nouveau, le persil et la menthe.

5 Versez la sauce sur le taboulé et remuez délicatement. Servez très frais.

Salade
de concombre

Pour 4 personnes

120 g de feta
4 petits concombres
1 petit oignon rouge émincé
1 c. s. d'aneth finement haché
1 c. s. de menthe séchée
3 c. s. d'huile d'olive
2 c. s. de jus de citron

1 Détaillez la feta en morceaux de 1 cm et placez-les dans un saladier. Pelez et épépinez les concombres puis coupez-les en dés de 1 cm. Mélangez les dés de concombre, la feta, l'oignon et l'aneth.

2 Pilez la menthe dans un mortier puis mélangez-la à l'huile et au jus de citron. Salez et poivrez à votre convenance. Nappez la salade de cette sauce et remuez.

Salade tiède au choy sum

Pour 4 personnes

370 g de choy sum
(variété de chou chinois)
2 c. s. d'huile d'arachide
3 c. s. de gingembre finement râpé
2 gousses d'ail finement hachées
2 c. c. de sucre
2 c. c. d'huile de sésame
2 c. s. de sauce de soja
1 c. s. de jus de citron
2 c. c. de graines de sésame grillées

1 Parez le choy sum et coupez-le en deux. Faites-le cuire 2 minutes à la vapeur, jusqu'à ce qu'il flétrisse, puis disposez-le sur un plat de service.

2 Faites chauffer une casserole à feu vif, versez l'huile d'arachide et inclinez la casserole pour bien en tapisser le fond. Ajoutez le gingembre et l'ail puis laissez frire 1 minute. Incorporez le sucre, l'huile de sésame, la sauce de soja et le jus de citron. Laissez chauffer le tout puis versez ce mélange sur le choy sum. Salez et poivrez. Garnissez de graines de sésame et servez aussitôt.

Salade de tomates aux haricots blancs

Pour 4 personnes

3 c. s. d'huile d'olive
2 échalotes rouges émincées
1 grosse gousse d'ail pilée
2 c. s. de jus de citron
250 g de tomates cerises
coupées en deux
250 g de tomates poires
coupées en deux
425 g de haricots blancs en boîte
égouttés et rincés
20 g de feuilles de basilic
grossièrement ciselées
2 c. s. de persil ciselé

1 Mettez l'huile d'olive, les échalotes en dés, l'ail pilé et le jus de citron dans un récipient. Mélangez soigneusement.

2 Mélangez les tomates cerises et les tomates poires coupées en deux dans un saladier puis ajoutez les haricots blancs. Nappez de sauce. Saupoudrez de basilic et de persil. Remuez délicatement et servez.

Salade de betterave et cresson aux noix

Pour 4 personnes

24 petites betteraves avec la peau, brossées et lavées
50 g de cerneaux de noix
50 g de cresson grossièrement haché
2 c. s. de ciboulette grossièrement ciselée

Sauce au miel
1/4 c. c. de miel
1/4 c. c. de moutarde de Dijon
1 c. s. de vinaigre balsamique
2 c. s. d'huile d'olive

1 Préchauffez le four à 200 °C. Placez les betteraves dans un plat à rôtir, couvrez-les de papier d'aluminium et laissez-les cuire 1 heure au four, jusqu'à ce qu'elles soient tendres. Sortez-les du four et épluchez-les dès qu'elles sont assez froides pour être manipulées.

2 Préparez la sauce : mélangez le miel, la moutarde et le vinaigre balsamique dans un pichet. Incorporez l'huile puis battez à la fourchette. Salez et poivrez.

3 Ramenez la température du four à 180 °C. Étalez les cerneaux de noix sur une plaque de cuisson et faites dorer 10 minutes au four. Quand ils sont refroidis, concassez-les grossièrement. Mélangez le cresson, les betteraves et la ciboulette dans un saladier. Nappez de sauce, mélangez, agrémentez de noix concassées et servez.

Salade d'artichauts

Pour 4 personnes

8 petits artichauts ronds
I citron coupé en deux
I gousse d'ail finement hachée
1/2 c. c. de sucre
I c. c. de moutarde de Dijon
2 c. c. de zeste de citron haché
60 ml de jus de citron
80 ml d'huile d'olive
25 g de basilic grossièrement ciselé
50 g de copeaux de parmesan

I Épluchez les artichauts jusqu'aux feuilles tendres, plus pâles. Ouvrez chaque artichaut en deux jusqu'au foin, en partant du haut, puis retirez ce dernier avec une cuillère. Gardez 4 cm de tige à la base et épluchez-la soigneusement en supprimant toutes les parties coriaces. Coupez les artichauts en deux. Frottez-les avec les moitiés de citron. Pressez ces dernières pour en extraire le jus. Mettez-le dans un saladier, ajoutez de l'eau froide et faites tremper les artichauts dedans.

2 Placez les artichauts dans une casserole d'eau bouillante, couvrez-les d'une assiette ou d'un récipient résistant à la chaleur pour qu'ils ne remontent pas à la surface puis laissez cuire 25 minutes. Égouttez-les puis recoupez chaque moitié en deux.

3 Mélangez l'ail, le sucre, la moutarde, le zeste et le jus de citron dans un pichet. Salez et poivrez. Incorporez l'huile puis battez à l'aide d'une fourchette. Nappez les artichauts de sauce puis garnissez de basilic et de parmesan. Servez tiède.

Salade de tomates séchées et de cœurs d'artichauts

Pour 6 personnes

1 citron confit en saumure
150 g de pousses d'épinards
200 g de tomates séchées marinées,
égouttées et émincées
225 g de cœurs d'artichauts marinés,
égouttés et émincés
85 g de petites olives noires
2 c. s. de jus de citron
3 c. s. d'huile d'olive
1 grosse gousse d'ail pilée

1 Épluchez le citron pour ne garder que le zeste. Rincez-le soigneusement puis émincez-le en fines lanières. Mettez les épinards, les tomates séchées, les cœurs d'artichauts, les olives noires et le zeste de citron dans un saladier.

2 Mettez le jus de citron, l'huile d'olive et l'ail dans un saladier. Salez et poivrez. Fouettez vigoureusement puis versez cette sauce sur les légumes. Remuez bien et servez immédiatement.

Frisée à l'ail
et aux croûtons

Pour 4 à 6 personnes

Vinaigrette
1 échalote finement hachée
1 c. s. de moutarde de Dijon
60 ml de vinaigre d'estragon
170 ml d'huile d'olive

1 c. s. d'huile d'olive
1/2 baguette coupée en tranches
4 gousses d'ail
1 petite frisée
100 g de noix grillées
100 g de feta émiettée

1 Pour préparer la vinaigrette, mélangez l'échalote, la moutarde et le vinaigre dans un saladier. Versez l'huile en filet, sans cesser de remuer, jusqu'à ce que la sauce épaississe puis réservez.

2 Faites chauffer l'huile dans une grande poêle. Ajoutez le pain et les gousses d'ail entières puis laissez cuire 5 à 8 minutes à feu moyen, jusqu'à ce que le pain croustille. Ôtez l'ail de la poêle et attendez que les tranches de baguette refroidissent avant de les détailler en petits croûtons.

3 Mettez la frisée, les croûtons, les noix, la feta et la vinaigrette dans un saladier puis mélangez soigneusement.

Épis de maïs en salade

Pour 4 personnes

1 gros poivron rouge
3 épis de maïs
90 g de germes de soja
4 oignons nouveaux émincés en biseau

Sauce asiatique
1/2 c. c. d'ail pilé
1/2 c. c. de gingembre frais râpé
1 c. c. de sucre
1 c. s. de vinaigre de riz
1 c. s. de sauce de soja
1 c. s. de jus de citron
2 c. c. d'huile de sésame
2 c. s. d'huile d'arachide

1 Coupez le poivron en gros morceaux et passez ces derniers sous le gril, la peau sur le dessus, jusqu'à ce qu'elle noircisse et présente des cloques. Laissez le poivron refroidir dans un sac plastique, pelez-le et découpez les morceaux en grosses lamelles.

2 À l'aide d'un couteau de cuisine, tranchez les épis de maïs en tronçons de 2,5 cm. Faites-les cuire 5 à 8 minutes à la vapeur puis disposez le poivron, les germes de soja et le maïs sur un plat de service.

3 Pour préparer la sauce, mélangez l'ail, le gingembre, le sucre, le vinaigre de riz, la sauce de soja et le jus de citron dans un pichet. Incorporez l'huile de sésame et l'huile d'arachide, battez à la fourchette et poivrez. Versez cette sauce sur la salade et décorez d'oignon nouveau.

Salade de lentilles et d'aubergines

Pour 4 à 6 personnes

60 ml d'huile d'olive
300 g d'aubergines
coupées en dés de 5 mm
1 petit oignon rouge
coupé en petits dés
1/4 c. c. de cumin moulu
3 gousses d'ail hachées
200 g de lentilles du Puy
375 ml de bouillon de légumes
2 c. s. de persil ciselé
1 c. s. de vinaigre de vin rouge
1 c. s. d'huile d'olive en supplément

1 Faites chauffer 2 cuillerées à soupe d'huile d'olive à feu moyen dans une grande poêle. Faites revenir l'aubergine 5 minutes sans cesser de remuer. Ajoutez l'oignon et le cumin puis poursuivez la cuisson 2 à 3 minutes, jusqu'à ce que l'oignon soit fondu. Transférez cette préparation dans un saladier. Salez et poivrez généreusement.

2 Faites chauffer l'huile restante dans la poêle à feu moyen. Ajoutez l'ail et laissez cuire 1 minute. Incorporez les lentilles et le bouillon puis laissez cuire 40 minutes à feu doux, en remuant régulièrement, jusqu'à évaporation du liquide.

3 Mettez les lentilles avec les aubergines puis incorporez le persil et le vinaigre. Salez et poivrez. Nappez d'un filet d'huile d'olive et servez chaud.

Salade
aux deux chous

Pour 4 à 6 personnes

2 jaunes d'œufs
1 c. s. de sauce de soja
1 piment oiseau finement haché
3 c. s. de jus de citron vert
200 ml d'huile d'olive
225 g de chou rouge émincé
225 g de chou blanc émincé
160 g de carottes râpées
180 g de germes de soja
30 g de feuilles de coriandre
finement ciselées
4 oignons nouveaux émincés

1 Pour préparer la sauce, placez les jaunes d'œufs, la sauce de soja, le piment, 1 pincée de sel et le jus de citron vert dans le bol du robot. Le moteur en marche, incorporez l'huile goutte à goutte puis en un filet mince et régulier. Ajoutez 1 cuillerée d'eau chaude et mixez encore quelques secondes. Le mélange doit être parfaitement homogène. Transférez cette mayonnaise dans un bol, couvrez et réservez au réfrigérateur jusqu'à utilisation.

2 Dans un saladier, mélangez le chou rouge, le chou blanc, les carottes, les germes de soja, la coriandre et l'oignon nouveau. Ajoutez la mayonnaise au citron vert et remuez.

Salade d'asperges à l'orange

Pour 4 personnes

300 g de pointes d'asperges
50 g de cresson
1/2 petit oignon rouge finement émincé
1 orange coupée en 12 quartiers
1 c. s. de jus d'orange frais
1 c. c. de zeste d'orange finement râpé
1 c. c. de sucre
1 c. s. de vinaigre de vin rouge
2 c. c. de graines de pavot
2 c. s. d'huile d'olive
60 g de fromage de chèvre frais

1 Faites blanchir les asperges 1 à 2 minutes dans l'eau bouillante. Rafraîchissez-les sous l'eau froide puis mélangez-les au cresson, à l'oignon rouge et aux quartiers d'orange dans un plat de service.

2 Mélangez le jus et le zeste d'orange, le sucre, le vinaigre de vin rouge et les graines de pavot dans un pichet. Incorporez l'huile et battez à la fourchette. Nappez la salade de cette sauce puis émiettez le fromage de chèvre dessus. Salez et poivrez.

Salade tiède de pommes de terre à l'aneth

Pour 4 personnes

6 pommes de terre roseval
1 c. s. de moutarde en grains
2 c. s. d'aneth ciselé
2 c. c. de sucre roux
60 ml de vinaigre de vin rouge
80 ml d'huile d'olive

1 Faites cuire les pommes de terre 20 minutes à l'eau ou à la vapeur. Laissez-les tiédir puis coupez-les en gros quartiers.

2 Mélangez la moutarde, l'aneth, le sucre roux et le vinaigre dans un pichet. Incorporez l'huile puis battez à la fourchette. Versez cette sauce sur les pommes de terre tièdes. Salez et poivrez. Servez aussitôt.

Salade baladi

Pour 4 à 6 personnes

2 c. s. d'huile d'olive
2 c. s. de jus de citron
1 salade détaillée en feuilles
3 tomates mûres coupées en quartiers
1 poivron vert coupé en morceaux
1 concombre épépiné et haché
6 radis émincés
1 oignon rouge émincé
2 c. s. de persil plat ciselé
2 c. s. de menthe ciselée

1 Dans un saladier, mélangez l'huile d'olive et le jus de citron. Salez et poivrez généreusement.

2 Placez la salade, les tomates, le poivron, le concombre, les radis, l'oignon, le persil et la menthe dans un saladier puis mélangez soigneusement. Servez sans attendre.

Salade vietnamienne

Pour 4 à 6 personnes

200 g de vermicelle de riz
10 g de menthe grossièrement ciselée
15 g de feuilles de coriandre
1/2 oignon rouge coupé en quartiers
1 mangue verte coupée en julienne
1 petit concombre coupé en deux
puis en tranches fines
140 g de cacahuètes concassées

Sauce à la citronnelle
125 ml de jus de citron vert
1 c. s. de sucre de palme
60 ml de vinaigre de riz aromatisé
2 tiges de citronnelle finement hachées
2 piments rouges épépinés
et finement hachés
3 feuilles de kaffir (citronnier thaïlandais)
grossièrement ciselées

1 Laissez tremper le vermicelle de riz 10 minutes dans l'eau bouillante. Égouttez-le, rincez-le sous l'eau froide et coupez-le en petits tronçons.

2 Mettez dans un saladier le vermicelle, la menthe, la coriandre, l'oignon, la mangue, le concombre et trois quarts des cacahuètes puis mélangez soigneusement.

3 Pour préparer la sauce, placez tous les ingrédients dans un bocal doté d'un couvercle hermétique et secouez vigoureusement.

4 Versez la sauce sur la salade, remuez délicatement puis réservez 30 minutes au réfrigérateur. Saupoudrez du reste de cacahuètes juste avant de servir.

Les plats principaux

Risonis aux artichauts

Pour 4 personnes

30 g de beurre
1 c. s. d'huile d'olive
2 bulbes de fenouil émincés
340 g de cœurs d'artichauts marinés,
égouttés et coupés en morceaux
300 ml de crème
1 c. s. de moutarde de Dijon
3 c. s. de vinaigre de vin blanc
50 g de parmesan râpé
375 g de risonis (petites pâtes
en forme de grains de riz)
130 g d'épinards émincés

1 Faites chauffer le beurre et l'huile dans une poêle à feu moyen puis laissez cuire le fenouil 20 minutes, jusqu'à ce qu'il caramélise. Ajoutez les artichauts et poursuivez la cuisson 5 à 10 minutes. Incorporez la crème, la moutarde, le vinaigre et le parmesan. Portez à ébullition, baissez le feu et laissez frémir 5 minutes.

2 Faites cuire les pâtes dans un grand volume d'eau bouillante salée puis égouttez-les soigneusement. Mettez-les alors avec les épinards dans la sauce. Prolonger la cuisson jusqu'à ce que ces derniers flétrissent. Ce plat est délicieux accompagné de pain grillé.

Gnocchis de patate douce au cresson

Pour 6 personnes

700 g de patates douces à chair orange
300 g de pommes de terre
350 g de farine
35 g de parmesan râpé
30 g de feuilles de cresson
finement hachées
1 gousse d'ail pilée
60 g de beurre
25 g de parmesan râpé pour garnir
2 c. s. de persil ciselé pour garnir

1 Faites cuire les patates douces et les pommes de terre. Égouttez-les, laissez-les tiédir, pelez-les puis réduisez-les en purée dans un saladier. Incorporez la farine, le parmesan, le cresson et l'ail. Salez et poivrez généreusement. Travaillez ce mélange pour obtenir une pâte souple. Formez de petites boulettes de la taille d'une grosse noix et aplatissez-les à la fourchette pour leur donner la forme traditionnelle des gnocchis.

2 Faites fondre le beurre et étalez-le sur une plaque de cuisson. Préchauffez le gril température moyenne.

3 Plongez les gnocchis environ 2 minutes dans un grand volume d'eau bouillante salée, jusqu'à ce qu'ils remontent à la surface. Sortez-les à l'aide d'une écumoire puis égouttez-les soigneusement. Disposez-les sur la plaque de cuisson, enrobez-les délicatement de beurre puis passez-les 5 minutes sous le gril. Lorsqu'ils sont dorés, saupoudrez-les de parmesan râpé et de persil. Servez aussitôt.

Pain de semoule aux légumes

Pour 6 personnes

1 litre de bouillon de légumes
500 g de semoule instantanée
30 g de beurre
3 c. s. d'huile d'olive
1 oignon finement haché
2 gousses d'ail pilées
1 c. s. de coriandre moulue
1 c. c. de cannelle moulue
1 c. c. de garam masala
(mélange d'épices indien)
250 g de tomates cerises
coupées en quatre
1 courgette coupée en dés
130 g de grains de maïs en boîte égouttés
8 grandes feuilles de basilic
150 g de poivrons séchés
marinées à l'huile
60 g de basilic ciselé en supplément
80 ml de jus d'orange
1 c. s. de jus de citron
3 c. s. de persil plat ciselé
1 c. c. de miel
1 c. c. de cumin moulu

1 Portez le bouillon à ébullition dans une casserole. Mettez la semoule et le beurre dans un saladier, couvrez de bouillon puis laissez gonfler 10 minutes.

2 Pendant ce temps, faites chauffer 1 cuillerée à soupe d'huile dans une grande poêle puis faites fondre l'oignon et l'ail 5 minutes à feu doux. Ajoutez les épices et poursuivez la cuisson 1 minute, le temps qu'elles libèrent leurs arômes. Réservez ce mélange. Mettez la tomate, la courgette et le maïs dans la poêle puis laissez cuire à feu vif.

3 Tapissez un moule à cake de film alimentaire en le laissant dépasser sur les côtés. Disposez les feuilles de basilic au fond du moule pour former 2 fleurs. Égouttez les poivrons, en réservant 2 cuillerées à soupe d'huile de marinade, et hachez-les grossièrement. Mélangez la semoule, les oignons, la préparation à la tomate, les poivrons et le basilic ciselé. Laissez refroidir.

4 Tassez cet appareil dans le moule et couvrez en repliant le film alimentaire. Déposez un poids sur le moule et réservez une nuit au réfrigérateur.

5 Pour préparer la sauce, mettez le jus d'orange, le jus de citron, le persil plat, le miel, le cumin et l'huile de marinade réservée dans un bocal doté d'un couvercle hermétique. Secouez vigoureusement. Démoulez le pain de légumes, coupez-le en tranches et servez-le accompagné de sauce.

Risotto
aux champignons

Pour 4 personnes

1,5 litre de bouillon de légumes
500 ml de vin blanc
2 c. s. d'huile d'olive
60 g de beurre
1 poireau émincé
500 g de champignons de Paris émincés
500 g de riz arborio
75 g de parmesan râpé
3 c. s. de persil plat ciselé

1 Versez le bouillon et le vin dans une casserole, portez à ébullition, baissez le feu puis laissez mijoter à couvert, à feu très doux.

2 Faites chauffer l'huile et le beurre dans une casserole puis laissez fondre le poireau 5 minutes à feu moyen. Quand il commence à dorer, ajoutez les champignons et poursuivez la cuisson 5 minutes de plus. Incorporez le riz arborio et laissez-le cuire jusqu'à ce qu'il soit transparent.

3 Versez le bouillon sur le riz, 125 ml par 125 ml, sans cesser de remuer, jusqu'à absorption totale du liquide. Prévoyez 20 à 25 minutes. Le riz doit être tendre et crémeux.

4 Incorporez le parmesan et le persil ciselé. Servez aussitôt.

Timbales de macaronis

Pour 4 personnes

200 g de macaronis
125 ml d'huile d'olive
1 grosse aubergine coupée en tranches
de 1 cm dans la longueur
2 gousses d'ail pilées
1 petit oignon finement haché
400 g de tomates concassées en boîte
400 g de ricotta
80 g de parmesan grossièrement râpé
15 g de basilic ciselé
quelques feuilles de basilic

1 Préchauffez le four à 180 °C. Pendant ce temps, faites cuire les macaronis dans un grand volume d'eau bouillante salée puis égouttez-les.

2 Faites chauffer 2 cuillerées à soupe d'huile à feu moyen dans une poêle anti-adhésive et laissez dorer les tranches d'aubergine 2 à 3 minutes de chaque côté. Procédez en trois fois en rajoutant 2 cuillerées à soupe d'huile à chaque fournée. Égouttez soigneusement sur du papier absorbant. Dans la même poêle, faites dorer l'ail et l'oignon 2 à 3 minutes à feu moyen. Ajoutez les tomates et poursuivez la cuisson 5 minutes. Lorsque leur jus s'est presque entièrement évaporé, salez et poivrez. Retirez la poêle du feu.

3 Mélangez la ricotta, le parmesan et le basilic dans un saladier puis ajoutez les pâtes. Tapissez le fond et les parois de 4 ramequins avec les tranches d'aubergine, en découpant ce qui dépasse. Couvrez de la moitié des macaronis, en tassant doucement. Nappez de sauce tomate et terminez par une autre couche pâtes. Faites dorer au four 10 à 15 minutes. Laissez reposer 5 minutes puis démoulez sur les assiettes de service. Décorez de feuilles de basilic.

Frittata aux fleurs de courgette

Pour 4 personnes

2 c. s. d'huile d'olive
2 gousses d'ail émincées
1 oignon finement haché
8 fleurs de courgette
8 œufs légèrement battus
7 g d'origan haché
35 g de ricotta salée râpée
25 g de parmesan râpé
1 c. s. de copeaux de parmesan
quelques quartiers de citron

1 Préchauffez le four à 200 °C. Faites chauffer l'huile dans une poêle allant au four puis laissez fondre l'ail et l'oignon. Répartissez les fleurs de courgette dans la poêle et ajoutez l'œuf battu. Saupoudrez d'origan, de ricotta et de parmesan. Poivrez.

2 Poursuivez la cuisson au four pendant 10 minutes. Quand l'omelette a pris, sortez-la du four et laissez-la tiédir. Agrémentez de copeaux de parmesan et servez avec des quartiers de citron.

VARIANTE D'origine sicilienne, la ricotta salée est un fromage sans croûte ferme et blanc, d'une saveur douce et laiteuse. Remplacez-le par de la feta si vous n'en trouvez pas chez votre fromager.

Nouilles sautées à la thaïlandaise

Pour 4 personnes

400 g de nouilles de riz plates fraîches
2 c. s. d'huile d'arachide
2 œufs légèrement battus
1 oignon coupé en minces quartiers
2 gousses d'ail pilées
1 petit poivron rouge
coupé en fines lamelles
100 g de tofu frit
coupé en lamelles de 5 mm
6 oignons nouveaux émincés en biseau
25 g de coriandre ciselée
60 ml de sauce de soja
2 c. s. de jus de citron vert
1 c. s. de sucre roux
2 c. c. de sambal oelek (condiment
indonésien à base de piment)
90 g de germes de soja
40 g de cacahuètes grillées concassées

1 Faites cuire les nouilles dans un grand volume d'eau bouillante salée pendant 5 à 10 minutes. Égouttez et réservez.

2 Faites chauffer un wok à feu vif. Tapissez le fond et les rebords d'huile d'arachide. Quand l'huile commence à fumer, versez l'œuf dans le wok et inclinez ce dernier pour former une fine omelette. Laissez cuire 30 secondes. Quand l'omelette est cuite, roulez-la puis détaillez-la en fines rondelles.

3 Faites chauffer le reste d'huile dans le wok puis faites cuire l'oignon, l'ail et le poivron 2 à 3 minutes. Quand l'oignon fond, ajoutez les nouilles et mélangez. Incorporez l'omelette, le tofu, l'oignon nouveau et la moitié de la coriandre.

4 Versez la sauce de soja, le jus de citron vert, le sucre et le sambal oelek préalablement mélangés puis enrobez-les nouilles de cette sauce. Répartissez les germes de soja sur les nouilles puis agrémentez de cacahuètes et du reste de coriandre. Servez immédiatement.

Pâtes aux tomates rôties, à la roquette et à la feta

Pour 4 personnes

16 tomates olivettes
7 g de feuilles de basilic grossièrement ciselées
400 g de macaronis ou de casareccis
80 ml d'huile d'olive
2 gousses d'ail émincées
2 c. s. de jus de citron
120 g de roquette grossièrement hachée
2 c. s. de persil ciselé
35 g de parmesan râpé
100 g de feta émiettée

1 Préchauffez le four à 160 °C. Entaillez les tomates en croix à la base, plongez-les 30 secondes dans un saladier d'eau bouillante puis dans l'eau froide. Pelez-les en partant de la croix. Coupez-les en deux puis placez-les sur une plaque de cuisson, face coupée vers le bas. Salez et poivrez généreusement puis saupoudrez de basilic. Enfournez et laissez cuire 3 heures au four.

2 Faites cuire les pâtes dans un grand volume d'eau bouillante salée. Égouttez-les et réservez-les au chaud.

3 Faites chauffer l'huile d'olive et l'ail à feu moyen. Retirez la poêle du feu dès que l'huile commence à grésiller puis ajoutez l'ail, les pâtes, les tomates, le jus de citron, la roquette, le persil et le parmesan. Mélangez délicatement le tout. La roquette doit flétrir à la chaleur des pâtes. Servez agrémenté de feta émiettée.

Tarte à la courge et à la feta

Pour 6 personnes

700 g de courge butternut coupée en morceaux de 2 cm
4 gousses d'ail en chemise
5 c. s. d'huile d'olive
2 petits oignons rouges coupés en deux et émincés
1 c. s. de vinaigre balsamique
1 c. s. de sucre roux
100 g de feta émiettée
1 c. s. de romarin haché
1 grande feuille de pâte brisée

1 Préchauffez le four à 200 °C. Étalez la courge et les gousses d'ail sur une plaque de cuisson, arrosez de 2 cuillerées à soupe d'huile d'olive et laissez cuire au four 25 à 30 minutes. Transférez l'ail sur une assiette et la courge cuite dans un saladier. Laissez tiédir.

2 Pendant ce temps, faites chauffer 2 cuillerées à soupe d'huile dans une poêle et laissez fondre l'oignon 10 minutes à feu moyen, en remuant de temps en temps. Ajoutez le vinaigre et le sucre puis laissez cuire 15 minutes. Quand l'oignon est caramélisé, retirez-le du feu et mélangez-le à la courge. Laissez refroidir complètement.

3 Ajoutez la feta et le romarin. Pressez l'ail pour en extraire la pulpe et mélangez-la aux légumes. Salez et poivrez.

4 Étalez la pâte entre deux feuilles de papier sulfurisé pour former une abaisse de 35 cm de diamètre. Retirez la feuille supérieure et déposez la pâte sur une plaque de cuisson. Répartissez la préparation à la courge et à la feta sur la pâte, en laissant un pourtour de 4 cm. Rabattez ce dernier en le plissant légèrement. Faites cuire 30 minutes au four, jusqu'à ce que la pâte soit dorée et croustillante.

Nouilles hokkien aux légumes et au tofu

Pour 4 personnes

300 g de tofu ferme
60 ml de ketjap manis
(sauce de soja douce indonésienne)
1 c. s. de sauce de soja
1 c. s. de sauce d'huître
1 c. c. d'huile de sésame
1 c. s. d'huile d'arachide
2 gousses d'ail pilées
1 c. s. de gingembre frais râpé
1 oignon coupé en quartiers
450 g de choy sum
(variété de chou chinois)
grossièrement haché
500 g de bok choy
(variété de chou chinois)
grossièrement haché
450 g de nouilles hokkien fraîches
2 c. s. d'huile d'arachide en supplément

1 Émincez le tofu en tranches de 1 cm et déposez ces dernières dans un plat peu profond. Mélangez le ketjap manis, la sauce de soja et la sauce d'huître puis versez-les sur le tofu. Laissez mariner 15 minutes, égouttez puis réservez la marinade.

2 Dans un wok, faites chauffer l'huile de sésame et l'huile d'arachide à feu moyen puis faites revenir l'ail, le gingembre et l'oignon jusqu'à ce que ce dernier fonde. Réservez ces ingrédients puis faites sauter le choy sum et le bok choy. Réservez-les dès qu'ils flétrissent. Ajoutez les nouilles et la marinade réservée. Lorsque la préparation est bien chaude, répartissez-la dans quatre assiettes.

3 Faites revenir le tofu dans l'huile restante afin qu'il soit doré de toutes parts. Servez les nouilles garnies de tofu, de choy sum, de bok choy et de mélange aux oignons.

Pizza aux courgettes

Pour 2 personnes

Pâte à pizza
500 g de farine
7 g de levure sèche en sachet
1 c. c. de sel
1 c. c. de sucre
1 c. s. d'huile d'olive
310 ml d'eau tiède

8 courgettes coupées en fines rondelles
2 c. c. de zeste de citron râpé
15 g de persil finement ciselé
2 c. c. de thym frais émietté
4 gousses d'ail pilées
4 c. s. d'huile d'olive
500 g de mozzarella coupée en petits dés
50 g de parmesan râpé
1 c. s. d'huile d'olive en filet

1 Préchauffez le four à 220 °C. Pour préparer le fond de pizza, mélangez la farine, la levure, le sel et le sucre dans un saladier puis formez un puits au centre. Versez l'huile et 310 ml d'eau tiède dans le puits et mélangez jusqu'à obtention d'une pâte molle. Transférez cette pâte sur un plan de travail fariné et pétrissez-la 10 minutes. Lorsqu'elle est lisse et souple, mettez-la dans un saladier légèrement huilé, couvrez de film alimentaire et laissez reposer 40 minutes dans un endroit chaud. La pâte doit doubler de volume. Aplatissez-la et pétrissez à nouveau 1 minute. Divisez-la en deux et abaissez 2 fonds de 5 mm d'épaisseur. Faites glisser ces fonds sur deux plaques à pizza.

2 Mélangez les rondelles de courgette, le zeste de citron, le persil, le thym, l'ail et l'huile d'olive dans un saladier. Répartissez la moitié de la mozzarella et du parmesan sur les fonds puis garnissez de mélange aux courgettes. Ajoutez le reste de la mozzarella et du parmesan. Salez, poivrez, et arrosez d'un filet d'huile d'olive. Faites cuire les pizzas 15 à 20 minutes au four, jusqu'à ce que la pâte soit croustillante.

Risotto aux asperges et aux pistaches

Pour 4 à 6 personnes

1 litre de bouillon de légumes
250 ml de vin blanc
80 ml d'huile d'olive
1 oignon rouge finement haché
440 g de riz arborio
310 g de pointes d'asperges parées
et coupées en tronçons de 3 cm
125 ml de crème
100 g de parmesan râpé
40 g de pistaches grillées concassées

1 Versez le bouillon et le vin dans une casserole, portez à ébullition puis baissez le feu et laissez mijoter à couvert, à feu très doux.

2 Faites chauffer l'huile dans une casserole et laissez fondre l'oignon 3 minutes à feu moyen. Incorporez le riz arborio et laissez cuire jusqu'à ce qu'il soit transparent.

3 Versez une louche de bouillon chaud sur le riz et laissez cuire à feu moyen sans cesser de remuer, jusqu'à absorption complète du liquide. Répétez l'opération jusqu'à ce qu'il ne reste plus de bouillon. Au bout de 25 minutes, le riz doit être tendre et crémeux. Ajoutez les asperges 5 minutes avant la fin de la cuisson.

4 Retirez la casserole du feu et laissez reposer 2 minutes. Incorporez la crème et le parmesan. Salez et poivrez. Servez le risotto agrémenté de pistaches concassées.

Aubergines à la mode Sichuan

Pour 4 personnes

Sauce

3 c. c. de pâte de piment à l'ail
2 c. s. de mirin (vin de riz doux)
2 c. s. de sauce de soja
1/2 c. c. de sucre
2 c. s. de vinaigre balsamique
250 ml de bouillon de légumes
1/2 c. c. d'huile de sésame
125 ml d'eau

2 c. s. d'huile végétale
500 g d'aubergines
coupées en gros cubes
4 gousses d'ail émincées
1 c. s. de gingembre en julienne
4 oignons nouveaux émincés en biseau
1 piment rouge finement haché

1 Pour préparer la sauce, mélangez la pâte de piment, le vin de riz, la sauce de soja, le sucre, le vinaigre, le bouillon, l'huile de sésame et l'eau. Remuez soigneusement.

2 Faites chauffer un wok à feu vif, versez l'huile puis laissez revenir les aubergines, l'ail, le gingembre, l'oignon nouveau et le piment pendant 3 minutes. Incorporez la sauce, baissez le feu et laissez braiser 20 minutes à couvert en remuant de temps en temps, jusqu'à absorption du liquide. Servez les aubergines avec du riz au jasmin.

Penne aux tomates et aux oignons caramélisés

Pour 4 personnes

60 ml d'huile d'olive
4 oignons rouges émincés
1 c. s. de sucre roux
2 c. s. de vinaigre balsamique
2 boîtes de 400 g de tomates pelées
500 g de penne rigate
150 g de petites olives noires dénoyautées
75 g de parmesan râpé

1 Faites chauffer l'huile à feu moyen dans une poêle antiadhésive. Ajoutez l'oignon et le sucre puis laissez cuire 25 à 30 minutes jusqu'à ce que l'oignon caramélise.

2 Incorporez le vinaigre, portez à ébullition et laissez cuire 5 minutes. Ajoutez les tomates, ramenez à ébullition puis laissez mijoter 25 minutes à feu moyen, jusqu'à ce qu'elles soient réduites en compote.

3 Faites cuire les pâtes dans un grand volume d'eau bouillante salée en respectant le temps de cuisson indiqué sur l'emballage. Égouttez-les puis remettez-les dans la casserole. Incorporez la préparation aux tomates et les olives puis mélangez soigneusement. Salez, poivrez et servez avec du parmesan râpé.

PRATIQUE Vous pouvez conserver les oignons caramélisés quelques jours au réfrigérateur en les recouvrant d'huile. Mélangez-les à du fromage de chèvre pour garnir une pâte feuilletée ou une pizza.

Ragoût de haricots blancs aux poivrons

Pour 4 à 6 personnes

200 g de haricots blancs secs
2 c. s. d'huile d'olive
2 grosses d'ail pilées
1 oignon rouge
coupé en minces quartiers
1 poivron rouge
coupé en cubes de 1,5 cm
1 poivron vert
coupé en cubes de 1,5 cm
2 boîtes de 400 g de tomates
concassées
2 c. s. de purée de tomate
500 ml de bouillon de légumes
2 c. s. de basilic ciselé
125 g d'olives noires dénoyautées
1 à 2 c. c. de sucre roux

1 Faites tremper les haricots une nuit dans un saladier d'eau froide. Rincez-les soigneusement, placez-les dans une casserole, couvrez d'eau froide et laissez cuire 45 minutes. Égouttez-les dès qu'ils sont juste tendres.

2 Faites chauffer l'huile dans une casserole puis laissez revenir l'ail et l'oignon 2 à 3 minutes à feu moyen. Quand l'oignon fond, ajoutez les poivrons puis poursuivez la cuisson 5 minutes.

3 Ajoutez les tomates concassées, la purée de tomate, le bouillon et les haricots puis laissez mijoter 40 minutes à couvert. Quand les haricots sont cuits, incorporez le basilic, les olives et le sucre. Salez et poivrez avant de servir.

Lasagnes à la courge et aux épinards

Pour 4 personnes

60 ml d'huile d'olive
1,5 kg de courge butternut
coupée en cubes de 1,5 cm
500 g d'épinards frais
4 feuilles de lasagne (12 cm x 20 cm)
500 g de ricotta
2 c. s. de crème
25 g de parmesan râpé
1 pincée de noix de muscade moulue

1 Faites chauffer l'huile à feu moyen dans une poêle antiadhésive. Ajoutez la courge et laissez cuire 15 minutes en remuant jusqu'à ce qu'elle soit tendre. Salez et poivrez. Réservez au chaud.

2 Plongez les épinards 30 secondes dans un grand volume d'eau bouillante salée. Quand ils flétrissent, sortez-les à l'aide d'une écumoire et transférez-les dans un saladier d'eau froide. Égouttez-les soigneusement avant de les hacher finement. Faites cuire les feuilles de lasagne en remuant de temps en temps. Égouttez-les sur un torchon propre puis découpez-les en trois dans la largeur.

3 Mettez la ricotta, la crème, le parmesan, les épinards et la noix de muscade dans une casserole. Laissez cuire à feu doux 2 à 3 minutes en remuant énergiquement. Étalez une feuille de lasagne dans chaque assiette. Garnissez de la moitié de la courge puis recouvrez d'une deuxième feuille. Répartissez dessus la moitié de la préparation à la ricotta, couvrez de la dernière feuille de lasagne puis terminez par le reste de courge et de préparation à la ricotta. Salez et poivrez généreusement. Servez immédiatement.

Pizza à la roquette

Pour 4 personnes

4 fonds de pizza individuels
2 c. s. de purée de tomate
2 c. c. d'origan haché
60 g de feta émiettée
100 g de mozzarella râpée
60 g de parmesan râpé
100 g de roquette
3 c. s. de persil plat
1/4 de petit oignon rouge émincé
60 ml d'huile d'olive
1 c. s. de jus de citron
1 c. c. de moutarde de Dijon
50 g de parmesan en copeaux

1 Préchauffez le four à 200 °C. Déposez les fonds de pizza sur une plaque de cuisson, étalez dessus la purée de tomate puis saupoudrez d'origan, de feta, de mozzarella et de parmesan. Faites cuire 12 minutes au four, jusqu'à ce que le fromage grésille.

2 Pendant ce temps, mélangez la roquette, le persil et l'oignon dans un saladier. Battez ensemble l'huile, le jus de citron et la moutarde puis versez cette sauce sur la salade.

3 Garnissez les pizzas de salade puis agrémentez de copeaux de parmesan. Poivrez et servez immédiatement.

Curry vert de patate douce et d'aubergine

Pour 4 à 6 personnes

1 c. s. d'huile
1 oignon haché
1 à 2 c. s. de pâte de curry verte
1 aubergine moyenne
coupée en quartiers émincés
400 ml de lait de coco en boîte
250 ml de bouillon de légumes
6 feuilles de kaffir (citronnier thaïlandais)
1 patate douce à chair orangée
coupée en cubes
2 c. c. de sucre roux
2 c. s. de jus de citron vert
2 c. c. de zeste de citron vert
quelques feuilles de coriandre

1 Faites chauffer l'huile dans un grand wok ou une poêle. Ajoutez l'oignon et la pâte de curry puis laissez cuire 3 minutes à feu moyen en remuant. Ajoutez l'aubergine et poursuivez la cuisson 4 à 5 minutes. Versez le lait de coco et le bouillon, portez à ébullition, baissez le feu puis laissez mijoter 5 minutes. Ajoutez les feuilles de kaffir et la patate douce puis faites cuire 10 minutes de plus en remuant de temps en temps. Les légumes doivent être très tendres.

2 Mélangez soigneusement le sucre, le jus et le zeste de citron vert et les légumes. Salez. Garnissez de feuilles de coriandre fraîche et servez accompagné de riz cuit à la vapeur.

Cannellonis
à la ratatouille

Pour 6 à 8 personnes

1 aubergine moyenne
2 courgettes
1 gros poivron rouge
1 gros poivron vert
3 à 4 tomates olivettes mûres
12 gousses d'ail en chemise
3 c. s. d'huile d'olive
300 ml de purée de tomate
350 g de cannellonis
3 c. s. de basilic ciselé
300 g de ricotta
100 g de feta
1 œuf légèrement battu
50 g de pecorino râpé

1 Préchauffez le four à 200 °C. Coupez l'aubergine, les courgettes, les poivrons et les tomates en cubes de 2 cm puis transférez-les avec l'ail dans un plat à gratin. Arrosez d'huile d'olive et remuez pour imprégner les légumes. Laissez rôtir 1 h 30 au four. Quand les légumes sont tendres, pelez et écrasez légèrement les gousses d'ail.

2 Versez la purée de tomate au fond d'un grand plat à gratin. Garnissez les cannellonis de ratatouille puis disposez-les dans le plat.

3 Mélangez le basilic, la ricotta, la feta et l'œuf. Salez généreusement puis nappez les cannellonis de cette sauce. Saupoudrez de pecorino et faites dorer 30 minutes au four.

Champignons sautés aux pois gourmands et au tofu

Pour 4 personnes

250 g de riz au jasmin
60 ml d'huile d'arachide
600 g de tofu ferme
coupé en cubes de 2 cm
2 c. c. de pâte de piment forte
2 gousses d'ail finement hachées
400 g de champignons asiatiques frais
émincés (shiitake, pleurotes
ou champignons noirs)
300 g de pois gourmands
60 ml de ketjap manis
(sauce de soja douce indonésienne)

1 Portez une casserole d'eau à ébullition, faites cuire le riz 12 minutes en remuant de temps en temps puis égouttez soigneusement.

2 Pendant ce temps, faites chauffer un wok à température très élevée et tapissez-en le fond de 2 cuillerées à soupe d'huile d'arachide. Faites dorer le tofu de toutes parts 2 à 3 minutes. Procédez en plusieurs tournées en le transférant sur une assiette au fur et à mesure.

3 Faites chauffer le reste d'huile dans le wok. Placez-y la pâte de piment, l'ail, les champignons, les pois gourmands et 1 cuillerée à soupe d'eau. Laissez revenir 1 à 2 minutes. Les légumes doivent être cuits mais croquants.

4 Ajoutez le tofu et le ketjap manis puis laissez réchauffer 1 minute en mélangeant soigneusement. Servez immédiatement accompagné de riz au jasmin.

PRATIQUE Le tofu ferme est parfait pour les sautés car il ne se défait pas à la cuisson. Vous pouvez remplacer la pâte de piment par 3 cuillerées à café de gingembre frais râpé.

Fusillis aux brocolis, au piment et aux olives

Pour 4 personnes

3 c. s. d'huile d'olive
1 oignon finement haché
3 gousses d'ail
1 c. c. de piment séché pilé
700 g brocolis détaillés
en petits bouquets
125 ml de bouillon de légumes
400 g de fusillis
90 g d'olives noires dénoyautées
et hachées
7 g de persil finement ciselé
25 g de pecorino râpé
2 c. s. de feuilles de basilic ciselées

1 Faites chauffer l'huile dans une grande poêle antiadhésive à feu moyen. Laissez fondre l'oignon, l'ail et le piment quelques minutes avant d'ajouter les bouquets de brocolis. Poursuivez la cuisson 5 minutes puis versez le bouillon. Laissez cuire 5 minutes à couvert.

2 Pendant ce temps, faites cuire les fusillis dans un grand volume d'eau bouillante salée. Égouttez puis réservez au chaud.

3 Quand les brocolis sont cuits, retirez la poêle du feu. Ajoutez les pâtes, les olives, le persil, le pecorino et le basilic. Salez et poivrez généreusement. Mélangez délicatement et servez immédiatement.

Tarte salée à la grecque

Pour 4 personnes

450 g d'épinards décongelés
1 grande feuille de pâte brisée
3 gousses d'ail finement hachées
150 g d'halloumi râpé
120 g de feta émiettée
1 c. s. d'origan en brins
2 œufs
60 ml de crème
quelques quartiers de citron

1 Préchauffez le four à 210 °C. Pressez les épinards pour en extraire l'eau.

2 Abaissez la pâte sur une plaque de cuisson puis étalez les épinards, en laissant un pourtour de 3 cm. Saupoudrez d'ail puis d'halloumi et de feta. Terminez par de l'origan. Salez et poivrez généreusement. Entaillez légèrement chaque coin de la pâte puis repliez-la sur la garniture.

3 Battez légèrement les œufs et la crème. Versez lentement ce mélange sur la garniture aux épinards puis laissez cuire 30 à 40 minutes au four, jusqu'à ce que la pâte soit dorée. Servez cette tarte agrémentée de quartiers de citron.

Nouilles de riz plates aux légumes

Pour 4 personnes

500 g de nouilles de riz fraîches
en larges feuilles
2 c. s. d'huile végétale
1 c. c. d'huile de sésame
3 c. s. de gingembre frais râpé
1 oignon émincé
1 poivron rouge émincé
100 g de champignons shiitake
frais émincés
200 g de mini-épis de maïs
coupés en deux
500 g de brocolis chinois (gai larn)
émincés
200 g de pois gourmands
3 c. s. de sauce de piment douce
2 c. s. de sauce de soja claire
2 c. s. de sauce de soja brune
1 c. s. de jus de citron vert
16 feuilles de basilic

1 Détaillez les feuilles de riz en rubans de 3 cm de largeur puis recoupez chacune d'elles en trois. Séparez délicatement les nouilles en les passant sous l'eau froide si nécessaire.

2 Faites chauffer l'huile végétale et l'huile de sésame dans un wok, ajoutez le gingembre et l'oignon puis laissez revenir. Quand l'oignon fond, incorporez les légumes et laissez les cuire jusqu'à ce qu'ils soient légèrement colorés et juste tendres.

3 Ajoutez les nouilles et laissez revenir. Lorsqu'elles commencent à ramollir, ajoutez la sauce de piment, les sauces de soja et le jus de citron vert préalablement mélangés. Dès que la préparation est chaude, retirez le wok du feu. Ajoutez le basilic, remuez et servez aussitôt.

Gratin de risonis aux courgettes

Pour 4 personnes

200 g de risonis (petites pâtes en forme de grains de riz)
40 g de beurre
4 oignons nouveaux émincés
400 g de courgettes râpées
4 œufs
125 ml de crème
100 g de ricotta
100 g de mozzarella râpée
75 g de parmesan râpé

1 Préchauffez le four à 180 °C. Faites cuire les pâtes dans un grand volume d'eau bouillante salée puis égouttez-les soigneusement.

2 Pendant ce temps, faites chauffer le beurre dans une poêle, ajoutez les oignons, laissez cuire 1 minute, incorporez les courgettes et poursuivez la cuisson 4 minutes. Laissez refroidir légèrement.

3 Mélangez les œufs, la crème, la ricotta, la mozzarella, les pâtes et la moitié du parmesan. Ajoutez la préparation aux courgettes. Salez et poivrez généreusement. Répartissez cet appareil dans 4 plats à gratin individuels de 500 ml sans remplir jusqu'au bord. Saupoudrez du reste de parmesan et laissez gratiner 25 à 30 minutes au four.

PRATIQUE Choisissez une ricotta de qualité supérieure chez votre fromager ou au rayon traiteur du supermarché.

Brochettes de champignons et d'aubergines

Pour 4 personnes

12 longues branches de romarin
18 champignons bruns suisses
1 petite aubergine
coupée en cubes de 2 cm
60 ml d'huile d'olive
2 c. s. de vinaigre balsamique
2 gousses d'ail pilées
1 c. c. de sucre

Concassée de tomates

5 tomates
1 c. s. d'huile d'olive
1 petit oignon finement haché
1 gousse d'ail pilée
1 c. s. de purée de tomate
2 c. c. de sucre
2 c. c. de vinaigre balsamique
1 c. s. de persil plat ciselé

1 Ôtez les feuilles des branches de romarin. Coupez les champignons en deux. Mettez-les avec l'aubergine dans un plat non métallique. Versez dessus l'huile, le vinaigre, l'ail et le sucre préalablement mélangés. Salez et poivrez. Remuez soigneusement et laissez mariner 15 minutes.

2 Entaillez la base des tomates en croix. Plongez-les 30 secondes dans l'eau bouillante puis dans l'eau froide. Pelez-les en partant de l'entaille. Coupez-les en deux, épépinez-les et détaillez leur chair en petits dés. Faites chauffer l'huile puis laissez fondre l'oignon et l'ail 2 à 3 minutes. Baissez le feu et ajoutez les tomates, la purée de tomate, le sucre, le vinaigre et le persil. Laissez frémir 10 minutes, jusqu'à évaporation du liquide. Réservez au chaud.

3 Enfilez 3 moitiés de champignon et 2 morceaux d'aubergine sur chaque branche de romarin, en alternant les ingrédients. Graissez légèrement une plaque en fonte et faites griller les brochettes 7 à 8 minutes, jusqu'à ce que l'aubergine soit tendre, en les retournant de temps en temps. Servez avec la concassée de tomates.

Moussaka au soja

Pour 4 personnes

2 aubergines
1 c. s. d'huile
1 oignon finement haché
2 gousses d'ail pilées
2 tomates mûres pelées, épépinées
et concassées
2 c. c. de purée de tomate
1/2 c. c. d'origan séché
125 ml de vin blanc sec
300 g de germes de soja en boîte
rincés et égouttés
3 c. s. de persil plat ciselé
30 g de beurre
2 c. s. de farine
1 pincée de noix de muscade moulue
315 ml de lait
40 g de cheddar râpé

1 Préchauffez le four à 180 °C. Coupez les aubergines en deux dans la longueur. Videz-les en conservant 1,5 cm de chair puis placez-les sur une plaque de cuisson, face coupée vers le haut en les calant avec du papier d'aluminium.

2 Faites chauffer l'huile dans une poêle puis laissez fondre l'oignon et l'ail 3 minutes à feu moyen. Ajoutez les tomates concassées, la purée de tomate, l'origan et le vin blanc. Portez à ébullition puis laissez cuire 3 minutes. Quand le liquide a bien réduit, incorporez le soja et le persil.

3 Pour préparer la sauce, faites fondre le beurre dans une casserole, incorporez la farine et laissez cuire 1 minute à feu moyen, jusqu'à ce que le mélange soit pâle et mousseux. Retirez la casserole du feu puis incorporez progressivement la noix de muscade et le lait. Remettez-la sur le feu et ramenez à ébullition, sans cesser de remuer, jusqu'à ce que le mélange épaississe. Versez 1/3 de cette sauce blanche dans le mélange à la tomate puis remuez soigneusement.

4 Garnissez les aubergines de cet appareil, lissez la surface, nappez avec le reste de sauce blanche et saupoudrez de cheddar. Laissez cuire 50 minutes au four. Servez bien chaud.

Conchiglie aux légumes verts

Pour 4 personnes

500 g de conchiglie
310 g de petits pois congelés
310 g de fèves congelées
80 ml d'huile d'olive
6 oignons nouveaux
coupés en morceaux de 3 cm
2 gousses d'ail finement hachées
250 ml de bouillon de légumes
12 pointes d'asperges fraîches
coupées en tronçons de 5 cm
1/2 c. c. de zeste de citron râpé
60 ml de jus de citron
quelques copeaux de parmesan

1 Faites cuire les pâtes dans un grand volume d'eau bouillante salée. Faites cuire séparément les petits pois 1 à 2 minutes dans l'eau bouillante. Sortez-les à l'aide d'une écumoire et plongez-les dans l'eau froide. Dans la même casserole, ébouillantez les fèves 1 à 2 minutes, égouttez-les et plongez-les dans l'eau froide avant de les peler.

2 Faites chauffer 2 cuillerées à soupe d'huile dans une poêle puis laissez fondre l'oignon nouveau et l'ail 2 minutes à feu moyen. Incorporez le bouillon et faites-le réduire 5 minutes. Ajoutez les asperges et poursuivez la cuisson 3 à 4 minutes. Lorsqu'elles sont luisantes et juste tendres, ajoutez les petits pois et les fèves puis laissez cuire 2 à 3 minutes de plus.

3 Égouttez les pâtes et mettez-les dans un plat de service. Versez le reste d'huile dessus, remuez puis ajoutez les légumes, le zeste et le jus de citron. Salez, poivrez et mélangez soigneusement. Servez avec des copeaux de parmesan.

Châtaignes d'eau aux épinards et aux patates douces

Pour 4 personnes

300 g de riz long grain
500 g de patates douces à chair orange
1 c. s. d'huile
2 gousses d'ail pilées
2 c. c. de sambal oelek
(condiment indonésien
à base de piment)
225 g de châtaignes d'eau en conserve
émincées (voir p. 45)
2 c. c. de sucre de palme
300 g d'épinards en branches
sans les tiges
2 c. s. de sauce de soja
2 c. s. de bouillon de légumes

1 Portez une casserole d'eau à ébullition, faites cuire le riz 12 minutes en remuant de temps en temps et égouttez soigneusement.

2 Pendant ce temps, détaillez les patates douces en cubes de 1,5 cm, laissez-les cuire 15 minutes dans un grand volume d'eau bouillante salée et égouttez.

3 Faites chauffer un wok à température très élevée et tapissez-en le fond d'huile, en l'inclinant. Faites revenir l'ail et le sambal oelek pendant 1 minute, jusqu'à ce que le mélange embaume. Ajoutez la patate douce en cubes et les châtaignes d'eau puis laissez sauter 2 minutes à feu vif. Baissez le feu et faites cuire le sucre de palme 2 minutes à feu moyen, jusqu'à ce qu'il soit dissous. Incorporez les épinards, la sauce de soja et le bouillon puis remuez jusqu'à ce que les épinards flétrissent. Servez sur un lit de riz cuit à la vapeur.

PRATIQUE On trouve du sucre de palme en bocal ou en paquet dans la plupart des grandes surfaces. À défaut, utilisez de la cassonade ou du sucre roux.

Tourtes aux champignons

Pour 4 personnes

5 c. s. d'huile d'olive
1 gousse d'ail pilée
1 poireau émincé
1 kg de gros champignons de Paris grossièrement hachés
1 c. c. de thym haché
300 ml de crème fraîche
1 feuille de pâte brisée
1 jaune d'œuf battu

1 Préchauffez le four à 180 °C. Faites chauffer 1 cuillerée à soupe d'huile dans une poêle puis laissez revenir l'ail et le poireau 5 minutes, jusqu'à ce que ce dernier soit transparent. Transférez la préparation dans une casserole.

2 Faites chauffer le reste d'huile à feu vif dans la poêle et laissez transpirer les champignons 5 à 7 minutes en deux tournées, en remuant fréquemment. Quand les champignons ont rendu leur eau et sont légèrement dorés, transférez-les dans la casserole contenant l'ail et le poireau puis ajoutez le thym.

3 Faites chauffer la casserole à feu vif puis incorporez la crème. Laissez épaissir 7 à 8 minutes en remuant de temps en temps puis retirez du feu. Salez et poivrez généreusement.

4 Répartissez la garniture dans 4 ramequins. Dans la pâte, découpez 4 disques d'un diamètre légèrement supérieur à celui des ramequins et mettez-les en place sur les champignons en pressant bien sur les bords. Badigeonnez la pâte de jaune d'œuf et mettez les ramequins au four. Laissez cuire 20 à 25 minutes pour que la pâte lève et soit dorée.

Fusillis aux tomates, à la mozarella et à la tapenade

Pour 4 à 6 personnes

**800 g de tomates cerises
ou de tomates poires coupées en deux
500 g de fusillis
300 g de mozarella en tranches fines
1 c. s. de thym haché**

Tapenade
**2 c. s. de câpres
2 petites gousses d'ail
185 ml d'olives noires émincées
3 c. s. de jus de citron
4 à 5 c. s. d'huile d'olive**

1 Préchauffez le four à 200 °C. Disposez les tomates sur une plaque de cuisson, salez, poivrez et faites rôtir 10 minutes au four.

2 Pour préparer la tapenade, mixez les câpres, l'ail, les olives et le jus de citron au robot. Le moteur en marche, versez l'huile en filet jusqu'à obtention d'une pâte onctueuse.

3 Faites cuire les pâtes dans un grand volume d'eau bouillante salée puis égouttez-les.

4 Incorporez la tapenade et la mozarella dans les pâtes chaudes et remuez bien le tout. Garnissez de tomates grillées et de thym. Servez immédiatement.

Pilaf de riz aux lentilles corail

Pour 4 à 6 personnes

Garam massala
1 c. s. de graines de coriandre
1 c. s. de gousses de cardamome
1 c. s. de graines de cumin
1 c. c. de poivre noir en grains
1 c. c. de clous de girofle
1 petit bâton de cannelle froissé

60 ml d'huile
1 oignon haché
3 gousses d'ail hachées
200 g de riz basmati
250 g de lentilles corail
750 ml de bouillon de légumes chaud
1 oignon nouveau émincé pour garnir

1 Pour préparer le garam massala, faites griller toutes les épices à sec dans une poêle jusqu'à ce que le mélange embaume. Réduisez-les en poudre au mixeur ou au moulin à épices.

2 Faites chauffer l'huile dans une casserole. Ajoutez l'oignon, l'ail et 3 cuillerées à café de garam massala (réservez le reste pour un autre usage). Laissez revenir 3 minutes à feu moyen, jusqu'à ce que l'oignon fonde.

3 Incorporez le riz et les lentilles puis laissez cuire 2 minutes. Versez le bouillon et remuez. Portez doucement le mélange à ébullition puis baissez le feu. Laissez mijoter 15 à 20 minutes jusqu'à ce que tout le bouillon soit absorbé. Aérez le riz à la fourchette avant de servir et garnissez d'oignon nouveau.

Haricots verts aux amandes et aux épices

Pour 4 à 6 personnes

3 c. s. d'huile de sésame
500 g de riz au jasmin
1 piment rouge épépiné
et finement haché
2 gousses d'ail pilées
1 morceau de gingembre de 2 cm
pelé et râpé
375 g de haricots verts
coupés en tronçons de 5 cm
125 ml de sauce hoisin
1 c. s. de sucre roux
2 c. s. de mirin (vin de riz doux)
125 g d'amandes
grossièrement concassées

1 Préchauffez le four à 200 °C. Faites chauffer 1 cuillerée à soupe d'huile dans un plat creux, ajoutez le riz et remuez soigneusement. Versez 1 litre d'eau bouillante et faites cuire 20 minutes au four, jusqu'à ce que toute l'eau soit absorbée. Réservez au chaud.

2 Pendant ce temps, faites chauffer le reste d'huile dans un wok ou une grande poêle puis laissez dorer le piment, l'ail et le gingembre 1 minute. Ajoutez les haricots verts, la sauce hoisin et le sucre. Laissez cuire 2 minutes puis incorporez le mirin. Poursuivez la cuisson 1 minute. Les haricots doivent rester légèrement croquants.

3 Retirez la poêle du feu et incorporez les amandes juste avant de servir. Servez avec le riz.

Conchiglie farcis à la courge et à la ricotta

Pour 6 personnes

1 kg de courge butternut coupée en gros quartiers
huile d'olive
10 gousses d'ail en chemise
500 g de ricotta
20 g de basilic finement ciselé
750 ml de sauce tomate
125 ml de vin blanc sec
32 conchiglie géantes
100 g de parmesan râpé

1 Préchauffez le four à 200 °C. Mettez la courge dans un plat à gratin, arrosez d'huile d'olive, salez et poivrez. Faites cuire 30 minutes au four puis ajoutez l'ail. Remettez au four 15 minutes. Laissez tiédir avant de peler l'ail et la courge puis de les réduire en purée. Incorporez la ricotta et la moitié du basilic. Rectifiez l'assaisonnement.

2 Dans une casserole, portez la sauce tomate et le vin à ébullition. Baissez le feu et laissez frémir 10 minutes jusqu'à léger épaississement.

3 Faites cuire les pâtes dans un grand volume d'eau bouillante salée. Séchez-les sur un torchon puis garnissez-les de farce à la courge. Étalez le reste de farce dans le fond d'un grand plat à gratin. Disposez les conchiglie dans le plat et nappez-les de sauce. Saupoudrez de parmesan et du reste de basilic puis faites cuire 30 minutes au four.

Spaghettis à la roquette et au citron

Pour 4 personnes

375 g de spaghettis
100 g de roquette émincée
1 c. s. de zeste de citron
finement haché
1 gousse d'ail finement hachée
1 petit piment rouge épépiné
et finement haché
1 c. c. d'huile pimentée
5 c. s. d'huile d'olive
60 g de parmesan finement râpé

1 Faites cuire les spaghettis en respectant le temps de cuisson figurant sur le paquet. Égouttez soigneusement.

2 Mélangez la roquette, le zeste de citron, l'ail, le piment, l'huile pimentée, l'huile d'olive et les deux tiers du parmesan râpé dans un saladier. Mélangez délicatement.

3 Incorporez les pâtes puis remuez soigneusement. Saupoudrez du reste de parmesan et servez.

Légumes sautés au sésame et au soja

Pour 4 personnes

2 c. s. de sauce de soja claire
1 c. s. de sauce hoisin
1 c. s. de bouillon de légumes
2 c. s. d'huile végétale
1 c. c. d'huile de sésame
4 gousses d'ail émincées
2 c. c. de gingembre coupé en julienne
2 kg de chou chinois coupé en quatre, lavé et égoutté
200 g de pois gourmands
2 c. s. de pousses de bambou coupées en julienne

1 Dans un bocal hermétique, mélangez la sauce de soja claire, la sauce hoisin et le bouillon.

2 Faites chauffer un wok à température élevée puis versez l'huile végétale et l'huile de sésame. Faites revenir l'ail, le gingembre et le chou 3 minutes. Ajoutez les pois gourmands et les pousses de bambou puis poursuivez la cuisson pendant 5 minutes. Incorporez la sauce (étape 1) en remuant doucement jusqu'à ce qu'elle réduise suffisamment pour enrober les légumes encore croquants. Servez aussitôt avec du riz au jasmin.

Ratatouille aux pommes de terre

Pour 4 à 6 personnes

1 gros poivron rouge
60 ml d'huile d'olive
2 oignons émincés
2 gousses d'ail pilées
400 g de courgettes
grossièrement émincées
400 g de petites pommes de terre
à chair ferme coupées
en tranches de 1 cm
1 kg de tomates mûres pelées
et grossièrement concassées
1 c. c. d'origan séché
2 c. s. de persil plat ciselé
2 c. s. d'aneth ciselé
1/2 c. c. de cannelle moulue

1 Préchauffez le four à 180 °C. Retirez les graines et les membranes du poivron rouge puis découpez-le en cubes.

2 Faites chauffer 2 cuillerées à soupe d'huile d'olive à feu moyen dans une grande poêle à fond épais et faites revenir l'oignon 10 minutes en remuant fréquemment. Ajoutez l'ail et poursuivez la cuisson 2 minutes. Mettez les courgettes, les pommes de terre, les tomates, le poivron, l'origan, le persil, l'aneth et la cannelle dans un plat à four. Salez et poivrez généreusement. Incorporez l'oignon fondu et l'ail puis mélangez soigneusement. Nappez les légumes du reste d'huile.

3 Couvrez et faites cuire 1 heure à 1 h 30 au four, en remuant de temps en temps. Vérifiez la cuisson des pommes de terre en les piquant avec la pointe d'un couteau.

Vermicelles de riz aux poivrons

Pour 4 personnes

300 g de vermicelles de riz
2 poivrons rouges
2 poivrons jaunes
2 poivrons verts
4 gousses d'ail pilées
2 c. s. de jus d'orange
80 ml de vinaigre balsamique
100 g de fromage de chèvre
15 g de basilic

1 Faites cuire les vermicelles dans un grand volume d'eau bouillante salée puis égouttez soigneusement.

2 Détaillez les poivrons en quatre et faites-les griller au four, la peau vers le dessus, jusqu'à ce qu'ils noircissent. Laissez-les refroidir dans un sac alimentaire avant de les peler et de les découper en fines lamelles.

3 Mélangez dans un récipient les poivrons, l'ail, le jus d'orange et le vinaigre balsamique. Nappez les pâtes de ce mélange et remuez délicatement.

4 Saupoudrez de fromage de chèvre émietté et de basilic. Servez aussitôt.

Frittata aux pâtes et aux légumes

Pour 6 à 8 personnes

4 petites tomates olivettes
300 g de patates douces à chair orange
coupées en gros morceaux
1 poivron rouge
3 c. s. d'huile
200 g de fettucine
6 œufs légèrement battus
250 ml de lait
125 g de cheddar râpé
10 g de feuilles de persil plat
200 g de feta coupée en gros cubes

1 Préchauffez le four à 200 °C. Mettez les tomates, les patates douces et le poivron dans un plat à gratin. Arrosez-les d'huile d'olive, salez et poivrez généreusement. Faites cuire 40 minutes au four.

2 Pelez les poivrons et détaillez-les en gros morceaux.

3 Faites cuire les pâtes dans un grand volume d'eau bouillante salée et égouttez-les soigneusement. Mélangez l'œuf, le lait et le cheddar.

4 Disposez la moitié des légumes et du persil dans une poêle antiadhésive. Ajoutez la moitié des pâtes et de la feta puis le reste des légumes. Étalez le reste du persil et des pâtes puis terminez par la feta. Nappez du mélange aux œufs et laissez cuire 15 à 20 minutes à feu moyen. Quand la préparation commence à prendre, faites-la glisser dans un grand plat allant au four et terminez la cuisson sous le gril 15 à 20 minutes, jusqu'à ce que la frittata soit dorée. Laissez reposer 5 minutes avant de servir.

Curry de courge aux haricots verts et aux noix de cajou

Pour 4 personnes

500 ml de crème de coco
(ne pas secouer la boîte)
3 c. c. de pâte de curry jaune
125 ml de bouillon de légumes
500 g de courge butternut pelée
et coupée en dés
300 g de haricots verts coupés en deux
2 c. s. de sauce de soja
2 c. s. de jus de citron vert
1 c. s. de sucre de palme râpé
(voir p. 260)
quelques feuilles de coriandre
40 g de noix de cajou grillées

1 Prélevez la couche de crème de coco épaisse située à la surface et portez-la à ébullition dans un wok. Ajoutez la pâte de curry, baissez le feu et laissez frémir 5 minutes.

2 Incorporez le reste de crème de coco, le bouillon et la courge. Laissez frémir 10 minutes. Ajoutez les haricots verts et poursuivez la cuisson 8 minutes.

3 Quand les légumes sont cuits, incorporez la sauce de soja, le jus de citron vert et le sucre de palme en remuant doucement. Garnissez de feuilles de coriandre et de noix de cajou. Servez avec du riz au jasmin.

Risotto aux patates douces et à la sauge

Pour 4 personnes

50 ml d'huile d'olive
1 oignon rouge coupé en minces quartiers
600 g de patates douces à chair orangée coupées en petits cubes
440 g de riz arborio
1,25 litre de bouillon de légumes chaud
75 g de parmesan râpé
3 c. s. de sauge émincée
quelques copeaux de parmesan

1 Faites chauffer 3 cuillerées à soupe d'huile dans une casserole et laissez fondre l'oignon 2 à 3 minutes à feu moyen. Ajoutez les patates douces et le riz puis remuez pour bien les imprégner d'huile.

2 Versez une louche de bouillon sur le riz et laissez cuire à feu moyen, sans cesser de remuer, jusqu'à complète absorption du liquide. Répétez l'opération jusqu'à épuisement du bouillon. Après 25 à 30 minutes, le riz doit être tendre et crémeux.

3 Ajoutez le parmesan et 2 cuillerées à soupe de sauge. Salez et poivrez généreusement puis mélangez. Répartissez cet appareil dans quatre assiettes creuses. Arrosez d'un filet d'huile, saupoudrez du reste de sauge et agrémentez de copeaux de parmesan.

Orecchiette aux brocolis

Pour 6 personnes

750 g de brocolis détaillés en fleurettes
450 g d'orecchiette
60 ml d'huile d'olive
1/2 c. c. de piment séché pilé
30 g de pecorino ou de parmesan râpé

1 Plongez les brocolis 5 minutes dans un grand volume d'eau bouillante salée. Quand ils sont juste tendres, sortez-les à l'aide d'une écumoire et égouttez-les soigneusement. Ramenez l'eau à ébullition et faites cuire les pâtes. Égouttez-les et remettez les dans la casserole.

2 Pendant ce temps, faites chauffer l'huile dans une poêle à fond épais. Ajoutez le piment séché et les brocolis. Augmentez la flamme et laissez cuire 5 minutes, jusqu'à ce que les brocolis soient bien enrobés d'huile pimentée et commencent à se défaire. Salez et poivrez. Mélangez les brocolis et les pâtes puis ajoutez le fromage. Remuez délicatement et servez.

Curry de tofu aux aubergines

Pour 4 personnes

2 c. s. d'huile
1 oignon finement haché
70 g de pâte de curry
300 g d'aubergines
coupées en tranches de 1 cm
300 g de tofu ferme
coupé en cubes de 1,5 cm
3 tomates mûres coupées en quartiers
60 ml de bouillon de légumes
75 g de pousses d'épinards
50 g de noix de cajou grillées

1 Faites chauffer un wok ou une poêle à température très élevée puis tapissez-en le fond d'huile, en l'inclinant. Faites revenir l'oignon à feu vif 3 à 4 minutes, jusqu'à ce qu'il soit fondu et doré.

2 Incorporez la pâte de curry et laissez cuire 1 minute. Ajoutez les aubergines et poursuivez la cuisson 5 minutes avant d'incorporer le tofu en remuant doucement. Laissez encore 3 à 4 minutes de plus, jusqu'à ce qu'il soit doré.

3 Ajoutez les tomates et le bouillon puis laissez cuire 3 minutes. Incorporez les épinards et poursuivez la cuisson 1 à 2 minutes. Salez et poivrez. Saupoudrez de noix de cajou au moment de servir. Accompagnez de riz au jasmin.

Nouilles de riz aux champignons

Pour 4 personnes

400 g de nouilles de riz longues
1 c. s. d'huile d'arachide
4 c. s. de sauce de soja
1 c. c. d'huile de sésame
1 c. c. de sucre
250 ml de bouillon de légumes
1 c. s. de gingembre frais râpé
2 gousses d'ail pilées
250 g de champignons shiitake émincés
250 g de champignons shimeji séparés
125 g d'oreilles de Judas émincées
250 g de champignons enoki
30 g d'oignons nouveaux
émincés en biseau

1 Faites cuire les nouilles 3 minutes dans un grand volume d'eau bouillante salée. Égouttez-les, rincez-les sous l'eau froide puis égouttez-les à nouveau. Mélangez les nouilles à 1 cuillerée à café d'huile d'arachide.

2 Dans un récipient, mélangez intimement la sauce de soja, l'huile de sésame, le sucre et le bouillon de légumes.

3 Dans un wok, chauffez le reste d'huile d'arachide à feu vif puis faites revenir le gingembre et l'ail 1 minute. Ajoutez les champignons shiitake, les champignons shimeji et les oreilles de Judas. Laissez cuire 3 minutes. Ajoutez les nouilles, les champignons enoki, les oignons nouveaux et la sauce. Remuez doucement et laissez cuire jusqu'à ce que les nouilles aient absorbé la sauce.

PRATIQUE Nous suggérons, pour cette recette, un assortiment de champignons asiatiques que vous trouverez dans les magasins d'alimentation. À défaut, préparez ce plat avec les champignons de votre choix.

Fettuccine aux épinards et aux tomates

Pour 4 à 6 personnes

6 tomates olivettes
40 g de beurre
2 gousses d'ail pilées
1 oignon haché
500 g d'épinards en branches
250 ml de bouillon de légumes
125 ml de crème épaisse
500 g de fettuccine fraîches
aux épinards
50 g de copeaux de parmesan

1 Préchauffez le four à 220 °C. Coupez les tomates en deux dans la longueur puis chaque moitié en trois quartiers. Disposez-les sur une plaque légèrement huilée et faites cuire 30 à 35 minutes au four, jusqu'à ce qu'elles commencent à dorer.

2 Pendant ce temps, faites chauffer le beurre dans une grande poêle puis laissez fondre l'ail et l'oignon 5 minutes à feu moyen. Ajoutez les épinards, le bouillon et la crème. Ramenez à ébullition et laissez cuire 5 minutes.

3 Pendant la cuisson des épinards, faites cuire les pâtes dans un grand volume d'eau bouillante salée. Égouttez-les et replacez-les dans la casserole. Retirez la préparation aux épinards du feu. Salez et poivrez généreusement. Lorsqu'elle est tiède, mixez-la pour obtenir une sauce onctueuse. Versez-la sur les pâtes et remuez délicatement. Répartissez les fettucine dans des assiettes creuses. Garnissez de tomates grillées et de copeaux de parmesan.

Tourte à la courgette et au fromage

Pour 6 personnes

600 g de courgettes râpées mélangées avec un peu de sel
150 g de provolone râpé
120 g de ricotta
3 œufs
2 gousses d'ail pilées
2 c. c. de basilic finement ciselé
1 pincée de noix de muscade moulue
2 feuilles de pâte brisée
1 œuf légèrement battu

1 Préchauffez le four à 200 °C et faites chauffer la plaque. Graissez un moule à tourte de 23 cm de diamètre. Égouttez les courgettes 30 minutes dans une passoire puis pressez-les pour en extraire l'eau. Placez-les dans un bol avec le provolone, la ricotta, les œufs, l'ail, le basilic et la muscade. Salez et poivrez.

2 Tapissez le fond et le pourtour du moule des deux tiers de la pâte brisée. Répartissez-y la garniture, lissez la surface et dorez les bords à l'œuf. Utilisez les deux tiers du reste de pâte pour recouvrir la garniture et pressez fermement les bords. Découpez la pâte en excédent. Plissez les bords, piquez la tourte avec une brochette et dorez le dessus à l'œuf.

3 Dans le reste de pâte, découpez une bande d'environ 30 cm sur 10 cm puis coupez-la à nouveau en neuf lamelles de 1 cm de large. Formez 3 tresses, aplatissez-les légèrement sur le plan de travail et disposez-les en les croisant au centre de la tourte. Dorez-les à l'œuf et laissez cuire 50 minutes à four chaud. La tourte doit être bien dorée.

Raviolis aux patates douces

Pour 4 personnes

**500 g de patates douces à chair orangée en morceaux
2 c. c. de jus de citron
190 g de beurre
50 g de parmesan râpé
1 c. s. de ciboulette ciselée
1 œuf légèrement battu
250 g de pâte à raviolis chinois
2 c. s. de noix concassées
2 c. s. de sauge ciselée**

1 Faites cuire les patates douces avec le jus de citron 15 minutes dans l'eau bouillante. Égouttez-les puis épongez-les sur du papier absorbant. Laissez tiédir 5 minutes.

2 Mixez les patates douces et 30 g de beurre jusqu'à obtention d'une texture onctueuse. Ajoutez le parmesan, la ciboulette et la moitié de l'œuf battu. Salez et poivrez puis laissez refroidir complètement.

3 Déposez 2 cuillerées à café de ce mélange au centre de chaque carré de pâte. Badigeonnez les bords du reste de l'œuf, recouvrez d'un carré de pâte et fermez en pressant soigneusement les bords. À l'aide d'un emporte-pièce circulaire de 7 cm, découpez l'excédent de pâte autour de chaque ravioli pour former un cercle.

4 Faites fondre le reste de beurre à feu doux. Quand il commence à foncer, retirez la casserole du feu.

5 Faites cuire les raviolis 4 minutes dans un grand volume d'eau bouillante salée, en procédant en plusieurs fournées. Égouttez-les soigneusement puis répartissez-les dans les assiettes chaudes. Servez-les immédiatement nappés de beurre fondu puis agrémentés de noix et de sauge.

Polenta grillée au fenouil

Pour 6 personnes

500 ml de lait
175 g de polenta
35 g de parmesan râpé
1 c. s. de beurre
200 g de bulbe de fenouil
60 g de cresson
1 c. s. de jus de citron
2 c. s. d'huile d'olive
2 c. s. de copeaux de parmesan

1 Dans une casserole à fond épais, portez le lait et 500 ml d'eau à ébullition. Versez la polenta en pluie dans le liquide et mélangez soigneusement. Réduisez à feu doux et laissez mijoter 40 minutes, en remuant de temps en temps pour que la polenta n'attache pas. Retirez la casserole du feu puis incorporez le parmesan et le beurre. Salez et poivrez généreusement. Versez la polenta dans un moule. Elle doit former une couche d'environ 2 cm d'épaisseur. Lorsqu'elle a pris, découpez-la en 6 parts, badigeonnez ces dernières d'huile d'olive puis faites-les cuire sur un gril en fonte ou au barbecue jusqu'à ce qu'elles dorent.

2 Émincez le fenouil aussi finement que possible et hachez les frondes. Dans un saladier, mélangez le fenouil, le cresson, le jus de citron, l'huile et la moitié des copeaux de parmesan. Salez et poivrez.

3 Servez la polenta grillée avec la salade de fenouil, saupoudrée du reste de copeaux de parmesan.

Champignons au curry rouge

Pour 4 personnes

500 ml de crème de coco
2 c. c. de pâte de curry rouge
2 c. c. de blanc de citronnelle
finement haché
125 ml de bouillon de légumes
250 ml de lait de coco
2 c. c. de sauce de soja
2 c. c. de sucre de palme râpé
(voir p. 260)
3 feuilles de kaffir
(citronnier thaïlandais)
1 c. s. de jus de citron vert
400 g de champignons variés (shiitake,
pleurotes, champignons de Paris…)
2 c. s. de feuilles de coriandre
3 c. s. de basilic grossièrement ciselé

1 Dans un wok, portez la crème de coco à ébullition puis laissez cuire à feu vif 2 à 3 minutes. Ajoutez la pâte de curry et la citronnelle. Poursuivez la cuisson 3 à 4 minutes tout en remuant, jusqu'à ce que le mélange embaume.

2 Réduisez la flamme à feu moyen puis incorporez le bouillon, le lait de coco, la sauce de soja, le sucre de palme, les feuilles de kaffir et le jus de citron vert. Laissez cuire 3 à 4 minutes, en remuant, jusqu'à dissolution du sucre. Ajoutez les champignons et laissez cuire à nouveau 3 à 4 minutes.

3 Retirez le wok du feu. Incorporez la coriandre et le basilic. Servez accompagné de riz cuit à la vapeur.

Tofu sauté au piment et aux noix de cajou

Pour 4 personnes

80 ml d'huile d'arachide
12 oignons rouges hachés
8 gousses d'ail hachées
8 longs piments verts hachés
2 poivrons rouges hachés
1 c. s. de concentré de tamarin
1 c. s. de sauce de soja
100 g de sucre de palme râpé
(voir p. 260)
2 c. s. de ketjap manis
(sauce de soja douce indonésienne)
1 c. s. d'huile d'arachide
6 oignons nouveaux
coupés en tronçons de 3 cm
750 g de tofu ferme
coupé en cubes de 3 cm
25 g de basilic frais
100 g de noix de cajou grillées

1 Faites chauffer la moitié de l'huile dans une poêle. Ajoutez les oignons et l'ail puis laissez cuire 2 minutes à feu moyen. Transférez-les dans le bol du robot avec les piments et les poivrons puis mixez jusqu'à obtention d'un mélange homogène. Chauffez le reste de l'huile dans la poêle et faites revenir la préparation aux échalotes 2 minutes à feu moyen. Incorporez le tamarin, la sauce de soja et le sucre de palme puis laissez cuire 20 minutes.

2 Dans un saladier, mélangez le ketjap manis et 2 à 3 cuillerées à soupe de mélange au piment. Réservez le reste pour un autre usage. Faites chauffer l'huile à feu vif dans un wok. Faites sauter les oignons nouveaux 30 secondes puis réservez-les. Placez le tofu dans le wok, laissez-le revenir 1 minute puis incorporez le mélange au piment. Laissez cuire 3 minutes de plus pour que le tofu soit bien imprégné de sauce au piment. Remettez l'oignon nouveau dans le wok puis ajoutez le basilic et les noix de cajou. Retirez du feu et servez aussitôt.

Tarte Tatin
à la tomate

Pour 4 personnes

12 tomates olivettes
4 c. s. d'huile d'olive
3 oignons rouges émincés
2 gousses d'ail émincées
I c. s. de vinaigre balsamique
I c. c. de sucre roux
15 g de basilic finement ciselé
60 g de fromage de chèvre émietté
I rouleau de pâte feuilletée

1 Préchauffez le four à 150 °C. Plongez les tomates 30 secondes dans l'eau bouillante puis dans l'eau froide. Pelez-les et coupez-les en deux. Salez et poivrez. Déposez les tomates sur une plaque de cuisson, la face coupée vers le haut, et laissez-les cuire 3 heures au four.

2 Faites chauffer 2 cuillerées à soupe d'huile dans une casserole à fond épais, ajoutez les oignons et laissez cuire I heure à feu très doux, en remuant de temps en temps, jusqu'à ce que les oignons aient caramélisé.

3 Quand les tomates sont cuites, sortez-les du four et augmentez la température à 200 °C.

4 Faites chauffer le reste d'huile dans une poêle allant au four. Ajoutez l'ail, le vinaigre, le sucre et I cuillerée à soupe d'eau. Laissez chauffer jusqu'à dissolution du sucre. Retirez la poêle du feu, disposez les tomates en cercles dans le fond, face coupée vers le haut. Garnissez d'oignons, de basilic et de fromage de chèvre. Couvrez avec la pâte feuilletée, coupez les bords puis repliez-les autour des tomates. Laissez cuire 25 à 30 minutes au four. Démoulez sur le plat de service et servez tiède.

Raviolis
aux poivrons grillés

Pour 4 personnes

6 poivrons rouges
625 g de raviolis
2 c. s. d'huile d'olive
3 gousses d'ail pilées
2 poireaux émincés
1 c. s. d'origan haché
2 c. c. de sucre roux
250 ml de bouillon de légumes

1 Coupez les poivrons en gros morceaux puis ôtez les pépins et les membranes. Passez-les sous le gril, la peau vers le haut, jusqu'à ce que cette dernière cloque et noircisse. Laissez-les refroidir dans un sac alimentaire avant de les peler.

2 Faites cuire les pâtes dans un grand volume d'eau bouillante salée.

3 Pendant ce temps, faites chauffer l'huile d'olive dans une poêle puis laissez fondre l'ail et les poireaux 3 à 4 minutes à feu moyen. Ajoutez l'origan et le sucre. Laissez cuire 1 minute en remuant.

4 Placez la préparation aux poireaux et les poivrons dans le bol du robot. Salez, poivrez et mixez. Incorporez le bouillon et mixez à nouveau jusqu'à obtention d'un mélange homogène. Égouttez les raviolis et remettez-les dans la casserole. Mélangez la sauce et les raviolis puis réchauffez à feu doux. Répartissez dans 4 assiettes et servez immédiatement.

Omelette aux courgettes

Pour 4 personnes

80 g de beurre
400 g de courgettes émincées
1 c. s. de basilic finement haché
1 pincée de noix de muscade
8 œufs légèrement battus

1 Faites fondre le beurre dans une poêle antiadhésive. Ajoutez les courgettes et laissez revenir 8 minutes à feu moyen. Quand elles commencent à dorer, incorporez le basilic et la noix de muscade. Salez, poivrez puis laissez cuire 30 secondes de plus. Réservez au chaud dans un saladier.

2 Essuyez la poêle, remettez-la sur le feu et faites fondre le reste de beurre. Salez et poivrez légèrement les œufs avant de les verser dans la poêle. Faites cuire à feu vif, en remuant doucement jusqu'à ce que l'omelette commence à gonfler. Baissez le feu, relevez les bords à la fourchette et secouez la poêle pour que l'omelette n'attache pas. Quand elle est presque prise mais encore baveuse, étalez les courgettes vers le centre. Repliez en deux avec une cuillère en bois et transférez sur le plat de service. Servez immédiatement.

Les accompagnements

Légumes rôtis au miel

Pour 4 personnes

60 g de beurre
2 c. s. de miel
4 brins de thym
3 carottes coupées en morceaux
2 panais coupés en morceaux
1 patate douce à chair orangée coupée en cubes
8 oignons grelot
8 topinambours
1 tête d'ail

1 Préchauffez le four à 200 °C. Faites fondre le beurre à feu moyen dans un plat à gratin. Ajoutez le miel et le thym puis remuez. Retirez le plat du feu puis incorporez la carotte, les panais, la patate douce, les oignons et les topinambours. Salez et poivrez généreusement. Enrobez soigneusement les légumes de beurre au miel.

2 Coupez la base de la tête d'ail puis enveloppez l'ail dans du papier d'aluminium. Placez-le dans le plat avec les légumes. Faites cuire 1 heure, en remuant régulièrement pour que les légumes dorent de toutes parts. Quand ils sont cuits, sortez le plat du four. Retirez la tête d'ail, ôtez la feuille d'aluminium et pressez les gousses sur les légumes pour en extraire la pulpe. Remuez délicatement. Servez aussitôt.

Champignons caramélisés

Pour 4 personnes

80 ml d'huile d'olive
750 g de petits champignons de Paris
2 grosses gousses d'ail
finement hachées
3 c. s. de sucre roux
60 ml de vinaigre balsamique
3 c. c. de feuilles de thym

1 Faites chauffer l'huile dans une grande poêle antiadhésive à fond épais et laissez revenir les champignons 5 minutes à feu vif, jusqu'à ce qu'ils soient tendres et dorés. Salez en cours de cuisson.

2 Ajoutez l'ail et laissez cuire 1 minute. Incorporez le sucre roux, le vinaigre et 1 cuillerée à soupe d'eau. Laissez bouillir 5 minutes jusqu'à ce que cette sauce ait réduit d'un tiers. Poivrez à votre gré.

3 Disposez les champignons sur un plat de service. Laissez réduire la sauce 1 minute de plus. Elle doit être épaisse et sirupeuse. Nappez-en les champignons et garnissez de thym.

Carottes à la crème de coco, au gingembre et au piment

Pour 6 personnes

I kg de carottes
détaillées en gros bâtonnets
60 g de crème de coco lyophilisée
I gousse d'ail pilée
2 c. c. de gingembre frais râpé
2 piments verts épépinés et hachés
I c. c. de coriandre moulue
I c. c. de cumin moulu
I c. c. de sauce de soja
I c. c. de zeste de citron vert haché
I c. s. de jus de citron vert
I c. c. de sucre de palme (voir p. 260)
3 c. s. d'huile d'arachide
2 c. s. de feuilles de coriandre ciselées
quelques quartiers de citron vert

I Préchauffez le four à 200 °C. Portez une casserole d'eau à ébullition, laissez blanchir les carottes 5 minutes puis égouttez-les soigneusement.

2 Dans un saladier, râpez la crème de coco lyophilisée puis mélangez-la à 2 cuillerées d'eau chaude pour former une pâte. Incorporez l'ail, le gingembre, le piment, la coriandre moulue, le cumin, la sauce de soja, le zeste de citron, le jus de citron et le sucre de palme. Ajoutez les carottes et mélangez soigneusement.

3 Versez l'huile d'arachide dans un grand plat à gratin peu profond et laissez chauffer 5 minutes au four. Placez-y les carottes, mélangez bien puis laissez cuire 25 minutes au four, jusqu'à ce qu'elles soient dorées. Décorez de feuilles de coriandre et servez avec des quartiers de citron vert.

Oignons farcis au chèvre et aux tomates

Pour 6 personnes

6 gros oignons
60 ml d'huile d'olive
1 gousse d'ail pilée
100 g de tomates séchées finement hachées
25 g de chapelure
1 c. s. de persil ciselé
2 c. c. de thym haché
100 g de fromage de chèvre émietté
80 g de parmesan râpé
1 œuf battu
250 ml de bouillon de légumes
1 c. s. de beurre

1 Préchauffez le four à 180 °C. Pelez les oignons, coupez le haut et réservez ces chapeaux. Creusez les oignons à la petite cuillère, presque jusqu'à la base.

2 Faites blanchir les oignons 5 minutes dans l'eau bouillante puis égouttez-les. Faites chauffer 2 cuillerées à soupe d'huile dans une poêle et laissez fondre l'ail 3 minutes. Ajoutez les tomates, la chapelure, le persil et le thym puis laissez cuire encore 1 minute. Retirez la poêle du feu et ajoutez le chèvre et le parmesan. Salez, poivrez puis incorporez l'œuf.

3 Garnissez les oignons de cette farce et disposez-les dans un plat à gratin. Versez le bouillon autour et arrosez du reste d'huile. Couvrez de papier d'aluminium et faites cuire 45 minutes au four, en arrosant régulièrement de bouillon. Retirez le papier d'aluminium 10 minutes avant la fin de la cuisson.

4 Transférez les oignons sur un plat de service et faites chauffer le reste de bouillon 5 à 8 minutes à feu moyen. Quand le liquide a réduit de moitié, baissez le feu et incorporez le beurre en remuant sans cesse pour obtenir une sauce onctueuse. Salez et poivrez. Nappez les oignons de sauce et couvrez avec les chapeaux réservés.

Haricots sautés au basilic, à l'ail et au piment

Pour 4 personnes

3 c. s. de sauce de soja
60 ml de bouillon de légumes
2 c. s. d'huile végétale
1 c. c. de pâte de curry rouge
1 oignon rouge finement haché
3 gousses d'ail émincées
1 petit piment rouge épépiné et émincé
500 g de haricots verts coupés en deux
20 g de feuilles de basilic

1 Mélangez la sauce de soja, le bouillon et 60 ml d'eau. Réservez.

2 Faites chauffer l'huile dans un wok puis faites revenir la pâte de curry, l'oignon, l'ail et le piment jusqu'à ce que le mélange embaume. Ajoutez les haricots et laissez cuire 5 minutes, en remuant de temps en temps. Retirez le wok du feu. Salez et poivrez généreusement. Incorporez la moitié du basilic et saupoudrez le reste en garniture. Servez immédiatement.

Pommes de terre rôties à l'ail et au romarin

Pour 4 à 6 personnes

1,5 kg de pommes de terre coupées en gros morceaux
80 ml d'huile d'olive
12 gousses d'ail en chemise
2 c. s. de feuilles de romarin

1 Préchauffez le four à 200 °C. Faites cuire les pommes de terre 10 minutes dans un grand volume d'eau bouillante salée. Égouttez-les dans une passoire et laissez-les sécher 5 minutes.

2 Pendant ce temps, versez l'huile d'olive dans un grand plat à gratin et faites-la chauffer 5 minutes au four. Ajoutez les pommes de terre puis l'ail et le romarin. Salez et poivrez généreusement. Laissez rôtir 1 heure, en remuant de temps en temps, jusqu'à ce que les pommes de terre soient dorées et croustillantes. Garnissez de romarin et servez.

Pepperonata

Pour 4 personnes

3 poivrons rouges
3 poivrons jaunes
2 c. s. d'huile d'olive
1 gros oignon rouge émincé
3 grosses tomates finement hachées
1 c. s. de sucre
2 c. s. de vinaigre balsamique
2 gousses d'ail finement hachées
5 g de persil plat ciselé

1 Découpez les poivrons en lamelles de 2 cm. Faites chauffer l'huile dans une grande poêle à fond épais et laissez fondre l'oignon 5 minutes à feu doux. Ajoutez les lamelles de poivron et poursuivez la cuisson 5 minutes. Incorporez les tomates, laissez cuire 10 minutes à couvert à feu moyen, retirez le couvercle et laissez mijoter 2 minutes de plus.

2 Incorporez le sucre et le vinaigre. Transférez le tout dans un plat de service. Parsemez d'ail et de persil. Salez et poivrez.

Patates douces au safran

Pour 4 à 6 personnes

1 kg de patates douces à chair blanche
2 c. s. d'huile végétale
1 c. s. de lait
1 pincée de safran en stigmates
100 g de beurre doux ramolli
40 g de pignons de pin grillés
2 c. s. de persil finement ciselé
2 gousses d'ail pilées

1 Préchauffez le four à 180 °C. Pelez les patates douces puis détaillez-les en gros morceaux. Mettez-les dans un grand plat peu profond, arrosez-les d'huile puis remuez pour bien les en imprégner. Couvrez de papier d'aluminium et faites cuire 20 minutes au four.

2 Faites chauffer le lait et laissez infuser le safran pendant 5 minutes. Mixez le beurre, le lait, les pignons de pin, le persil et l'ail en procédant par impulsions. Les pignons de pin ne doivent pas être réduits en poudre. Étalez une feuille de film alimentaire sur le plan de travail. Déposez le beurre au centre et formez un boudin d'environ 4 cm de diamètre. Laissez raffermir au réfrigérateur.

3 Retirez la feuille de papier d'aluminium qui couvre les patates douces puis laissez cuire ces dernières 30 minutes de plus. Pour vérifier leur cuisson, piquez-les avec la pointe d'un couteau. Sortez le beurre du réfrigérateur puis coupez-le en tranches. Quand les patates douces sont cuites, sortez-les du four. Salez, poivrez et répartissez dessus les tranches de beurre parfumé. Servez aussitôt.

Aubergines grillées et pesto au citron

Pour 4 à 6 personnes

2 grosses aubergines
coupées en tranches de 1,5 cm
ou 8 petites aubergines
coupées en deux dans la longueur
160 ml d'huile d'olive
60 g de feuilles de basilic
20 g de persil
50 g de pignons de pin grillés
2 gousses d'ail
60 g de parmesan râpé
1 zeste de citron râpé
60 ml de jus de citron

1 Badigeonnez les deux faces des tranches d'aubergine de 2 cuillerées à soupe d'huile d'olive. Préchauffez une plaque en fonte à température élevée et faites-les griller 3 minutes, jusqu'à ce qu'elles soient bien cuites et dorées sur les deux faces. Si vous utilisez de petites aubergines, faites-les griller uniquement sur une face et terminez la cuisson 5 à 8 minutes au four préchauffé à 200 °C. Réservez les aubergines au chaud.

2 Pour préparer le pesto, mixez le basilic, le persil, les pignons de pin, l'ail, le parmesan, le zeste et le jus de citron. Versez l'huile d'olive en filet sur ce mélange et continuez de mixer jusqu'à obtention d'une pâte homogène. Salez et poivrez.

3 Disposez les aubergines sur les assiettes de service. Nappez de pesto et servez immédiatement.

Chou rouge braisé

Pour 4 à 6 personnes

60 g de beurre
1 oignon haché
2 gousses d'ail pilées
900 g de chou rouge émincé
2 pommes vertes pelées
et coupées en dés
4 clous de girofle
1/4 c. c. de noix de muscade moulue
1 feuille de laurier frais
2 baies de genièvre
1 bâton de cannelle
80 ml de vin rouge
50 ml de vinaigre de vin rouge
2 c. s. de sucre roux
1 c. s. de gelée de groseilles
500 ml de bouillon de légumes

1 Préchauffez le four à 150 °C. Faites fondre 40 g de beurre dans une grande cocotte. Placez-y l'oignon et l'ail puis laissez cuire 5 minutes à feu moyen. Ajoutez le chou et poursuivez la cuisson 10 minutes, en remuant fréquemment.

2 Ajoutez les pommes, les clous de girofle, la muscade, la feuille de laurier, les baies de genièvre et la cannelle. Versez le vin rouge dans la cocotte, laissez cuire 5 minutes puis incorporez le vin, le vinaigre, le sucre roux, la gelée de groseilles et le bouillon. Portez à ébullition, couvrez et laissez cuire 2 heures au four.

3 À la fin de la cuisson, il ne doit rester que 125 ml environ de liquide de cuisson. Incorporez le reste de beurre. Salez et poivrez. Servez aussitôt.

Courgettes à la feta et à la menthe

Pour 4 personnes

6 courgettes
2 c. s. d'huile d'olive
70 g de feta émiettée
I c. c. de zeste de citron finement râpé
1/2 c. c. d'ail haché
I c. s. de jus de citron
2 c. s. de menthe ciselée

I Détaillez chaque courgette en quatre bâtons dans la longueur. Chauffez la moitié de l'huile dans une grande poêle antiadhésive à fond épais et faites cuire les courgettes 3 à 4 minutes à feu moyen. Lorsqu'elles sont tendres et dorées, disposez-les sur un plat de service.

2 Émiettez la feta sur les courgettes. Mélangez le zeste, l'ail et le jus de citron dans un récipient. Incorporez le reste d'huile, fouettez à la fourchette et nappez les courgettes de cette sauce. Agrémentez de menthe ciselée puis salez et poivrez. Servez chaud.

Topinambours rôtis au vin rouge et à l'ail

Pour 4 personnes

800 g de topinambours
1 c. s. de jus de citron
2 c. s. de vin rouge
2 c. s. d'huile d'olive
2 gousses d'ail pilées
1 pointe de Tabasco
2 c. s. de bouillon de légumes
2 c. s. de persil ciselé

1 Préchauffez le four à 200 °C. Brossez soigneusement les topinambours, coupez-les en deux dans la longueur et réservez-les dans un récipient d'eau citronnée.

2 Versez le vin rouge, l'huile d'olive, l'ail, le Tabasco et le bouillon dans un plat à gratin. Égouttez et épongez les topinambours avec du papier absorbant. Transférez-les dans le plat et remuez. Salez et poivrez.

3 Couvrez et laissez cuire 40 minutes au four. Lorsque les topinambours sont tendres, découvrez-les et laissez cuire 5 minutes de plus. Le liquide doit avoir suffisamment réduit pour former un glacis. Sortez les topinambours du four puis saupoudrez-les de persil juste avant de servir.

Pommes de terre en papillotes

Pour 4 personnes

800 g de petites pommes de terre coupées en deux
30 g de beurre coupé en petits dés
1 c. s. de brins de thym
6 gousses d'ail en chemise
2 c. s. d'huile d'olive

1 Préchauffez le four à 200 °C. Découpez deux feuilles de papier sulfurisé de 50 cm de long. Déposez la moitié des pommes de terre en une seule couche sur l'une des feuilles, saupoudrez de la moitié du beurre et de la moitié du thym puis ajoutez 3 gousses d'ail. Arrosez de 1 cuillerée à soupe d'huile d'olive. Refermez la papillote pour que les pommes de terre soient parfaitement enfermées. Déposez la papillote sur une plaque de cuisson.

2 Procédez de même avec le reste des ingrédients. Laissez cuire 1 h 10 au four. Pour vérifier la cuisson des pommes de terre, piquez-les avec la pointe d'une brochette. Servez aussitôt.

Épinards à la crème

Pour 4 à 6 personnes

1,5 kg d'épinards en branches
2 c. c. de beurre
1 gousse d'ail pilée
1/4 c. c. de noix de muscade
fraîchement râpée
80 ml de crème épaisse
1 c. s. de parmesan râpé

1 Supprimez les tiges des épinards et lavez soigneusement les feuilles. Secouez l'eau en excédent mais ne les séchez pas complètement.

2 Faites fondre le beurre dans une grande poêle. Placez-y l'ail pilé et les épinards, assaisonnez de noix de muscade, salez, poivrez puis laissez cuire à feu moyen jusqu'à flétrissement. Retirez la poêle du feu puis transférez les épinards dans une passoire. Pressez-les pour en extraire le liquide et hachez-les finement.

3 Faites chauffer la crème dans la poêle à feu doux, incorporez les épinards et laissez-les réchauffer. Transférez dans un plat de service et servez agrémenté de parmesan.

Betteraves rôties, sauce au raifort

Pour 4 personnes

8 betteraves
2 c. s. d'huile d'olive
2 c. c. de miel
1 à 2 c. s. de crème de raifort
100 g de crème aigre
du persil ciselé pour garnir

1 Préchauffez le four à 200 °C. Brossez et pelez les betteraves, coupez-en les bases puis taillez les en quartiers. Mettez l'huile et le miel dans un récipient, mélangez intimement puis salez et poivrez.

2 Enveloppez les betteraves dans une grande feuille de papier d'aluminium puis arrosez-les du mélange au miel. Fermez la papillote sans serrer et faites rôtir 1 heure au four. Pour vérifier la cuisson des betteraves, assurez-vous qu'elles sont tendres sous la pointe d'une brochette.

3 Pendant ce temps, mélangez le raifort et la crème aigre. Salez et poivrez. Quand les betteraves sont cuites, laissez-les reposer 5 minutes avant de les sortir du papier d'aluminium. Servez-les agrémentées de persil et de crème de raifort.

Beignets de carottes au parmesan

Pour 6 personnes

500 g de jeunes carottes
60 g de farine
2 c. c. de cumin moulu
2 œufs
250 g de chapelure
I c. s. de persil ciselé
65 g de parmesan finement râpé
I litre d'huile végétale

I Grattez les carottes et ne conservez que 2 cm de feuillage. Portez une casserole d'eau à ébullition, ajoutez I cuillerée à café de sel et laissez cuire les carottes pendant 5 minutes. Pour vérifier leur cuisson, assurez-vous qu'elles sont tendres sous la pointe d'une brochette. Égouttez-les et épongez-les soigneusement sur du papier absorbant avant de les laisser refroidir.

2 Tamisez la farine et le cumin sur une feuille de papier sulfurisé. Battez les œufs dans une assiette creuse. Mélangez la chapelure, le persil et le parmesan dans une autre assiette. Salez et poivrez. Passez les carottes dans la farine, dans les œufs puis dans la chapelure. Pour une texture plus croustillante, procédez à un deuxième passage.

3 Faites chauffer l'huile végétale dans une casserole à fond épais. L'huile est chaude lorsqu'un cube de pain jeté dedans dore en 20 secondes. Faites frire les carottes jusqu'à ce qu'elles soient bien dorées. Servez immédiatement.

Haricots verts
à la feta
et aux tomates

Pour 4 personnes

1 c. s. d'huile d'olive
1 oignon haché
2 gousses d'ail pilées
1 à 2 c. s. d'origan haché
125 ml de vin blanc
425 g de tomates concassées en boîte
250 g de haricots verts
1 c. s. de vinaigre balsamique
200 g de feta coupée en cubes de 1,5 cm

1 Faites chauffer l'huile dans une casserole et laissez fondre l'oignon 3 à 5 minutes à feu moyen. Ajoutez l'ail et la moitié de l'origan, laissez cuire 1 minute de plus puis versez le vin blanc. Poursuivez la cuisson 3 minutes, jusqu'à ce que le liquide ait réduit d'un tiers.

2 Incorporez les tomates concassées avec leur jus et laissez cuire 10 minutes à découvert. Ajoutez les haricots et poursuivez la cuisson 10 minutes en couvrant.

3 Ajoutez le vinaigre balsamique, la feta et le reste d'origan. Salez et poivrez.

Patates douces et mayonnaise au citron et au cumin

Pour 4 personnes

2 c. s. d'huile d'olive
1 kg de patates douces à chair orange
coupées en quartiers de 6 cm
200 g de mayonnaise
60 ml de jus de citron vert
1 c. c. de miel
1 c. s. de coriandre
grossièrement ciselée
2 c. c. de cumin moulu

1 Préchauffez le four à 200 °C puis faites-y chauffer l'huile 5 minutes dans un grand plat à gratin.

2 Étalez les patates douces en une seule couche dans le plat. Salez et poivrez. Enfournez-les et laissez-les cuire 35 minutes, en les retournant de temps en temps.

3 Pendant la cuisson des patates douces, mettez la mayonnaise, le jus de citron, le miel, la coriandre et le cumin dans le bol du robot puis mixez pour obtenir une sauce onctueuse.

4 Égouttez les patates douces sur du papier absorbant et servez avec la mayonnaise.

Pilaf de chou-fleur

Pour 6 personnes

200 g de riz basmati
2 c. s. d'huile d'olive
I gros oignon émincé
1/4 c. c. de graines de cardamome
1/2 c. c. de curcuma moulu
I bâton de cannelle
I c. c. de graines de cumin
1/4 c. c. de poivre de Cayenne
500 ml de bouillon de légumes
800 g de chou-fleur
détaillé en fleurettes
20 g de coriandre ciselée

I Versez le riz dans une passoire, rincez-le sous l'eau froide et laissez-le s'égoutter.

2 Faites chauffer l'huile dans une casserole. Laissez revenir l'oignon 5 minutes à feu moyen en remuant régulièrement. Lorsqu'il est bien doré, ajoutez les épices et laissez cuire I minute de plus.

3 Transférez le riz dans la casserole et remuez pour bien l'enrober des épices. Ajoutez le bouillon et le chou-fleur puis mélangez soigneusement.

4 Couvrez et portez à ébullition. Baissez le feu et laissez cuire 15 minutes à feu très doux. Le riz et le chou-fleur doivent être cuits et le bouillon entièrement absorbé. Incorporez la coriandre et servez aussitôt.

Fenouil gratiné aux noix et au persil

Pour 4 personnes

2 c. s. de jus de citron
9 petits bulbes de fenouil
coupés en deux dans la longueur
1 c. c. de graines de fenouil
100 g de parmesan râpé
160 g de chapelure
100 g de noix concassées
1 c. s. de persil ciselé
2 c. c. de zeste de citron
2 gousses d'ail pilées
250 ml de bouillon de légumes
quelques noisettes de beurre

1 Portez une casserole d'eau à ébullition puis ajoutez le jus de citron et 1 cuillerée à café de sel. Laissez cuire le fenouil 5 à 10 minutes dans cette eau. Égouttez et laissez refroidir.

2 Faites griller les graines de fenouil à sec puis mixez-les avec le parmesan, la chapelure, les noix, le persil, le zeste de citron et l'ail. Mouillez ce mélange de 2 cuillerées à soupe de bouillon.

3 Disposez le fenouil dans un plat à gratin, face coupée vers le haut. Étalez généreusement la garniture dessus. Versez le reste de bouillon autour et déposez une noisette de beurre sur chaque morceau. Laissez cuire 25 minutes au four, en arrosant de temps en temps le fenouil de jus de cuisson pour qu'il n'attache pas.

Crêpe épaisse aux pommes de terre

Pour 4 personnes

750 g de pommes de terre
à chair ferme
1 petit oignon émincé
2 c. s. de persil ciselé
30 g de beurre
2 c. c. d'huile d'olive

1 Faites cuire les pommes de terre 10 à 15 minutes dans l'eau bouillante, jusqu'à ce qu'elles soient juste tendres. Égouttez et laissez refroidir. Râpez les pommes de terre puis mélangez-les à l'oignon et au persil dans un saladier. Salez et poivrez généreusement.

2 Faites chauffer le beurre et l'huile dans une poêle antiadhésive. Étalez le mélange aux pommes de terre dans la poêle en tassant délicatement avec une spatule. Couvrez et laissez cuire 8 à 10 minutes, jusqu'à ce que la crêpe soit dorée et croustillante. Faites-la glisser sur une grande assiette puis retournez-la délicatement dans la poêle pour la faire cuire 5 minutes sur l'autre face. Transférez-la sur un plat de service et coupez-la en quatre avant de servir.

Chou et poireaux braisés aux graines de moutarde

Pour 4 à 6 personnes

1 c. s. d'huile
2 c. s. de beurre doux
2 c. c. de graines de moutarde noire
2 poireaux émincés
500 g de chou blanc émincé
1 c. s. de jus de citron
5 c. s. de crème fraîche
2 c. s. de persil ciselé

1 Faites chauffer l'huile et le beurre dans une poêle. Placez-y les graines de moutarde et laissez-les cuire jusqu'à ce qu'elles commencent à sauter. Ajoutez le poireau et laissez-le fondre 5 à 8 minutes à feu doux. Incorporez le chou et poursuivez la cuisson 4 minutes, jusqu'à ce qu'il flétrisse.

2 Salez et poivrez le chou. Ajoutez le jus de citron et la crème fraîche puis laissez cuire 1 minute de plus. Incorporez le persil ciselé et servez immédiatement.

Tomates et oignons rouges rôtis

Pour 4 personnes

un peu d'huile
8 tomates olivettes
2 oignons rouges
2 gousses d'ail
2 c. s. de vinaigre balsamique
1 c. c. de moutarde de Dijon
60 ml d'huile d'olive

1 Préchauffez le four à 150 °C. Huilez légèrement une plaque de cuisson.

2 Coupez les tomates en quartiers. Épluchez les oignons puis détaillez-les en huit. Disposez les tomates, les oignons et les gousses d'ail sur la plaque. Salez et poivrez généreusement puis faites cuire 1 heure au four.

3 Disposez les tomates et les oignons sur un plat de service. Pelez l'ail et écrasez-le dans un récipient. Ajoutez le vinaigre balsamique et la moutarde puis versez l'huile en un mince filet en battant au fouet. Salez et poivrez généreusement. Nappez les tomates et les oignons de cette sauce. Servez immédiatement.

LES ACCOMPAGNEMENTS

Chips de panais

Pour 4 personnes

4 panais
I litre d'huile végétale
1/4 c. c. de cumin moulu

I Pelez les panais puis, à l'aide d'un économe, détaillez-les en longues lamelles épaisses.

2 Faites chauffer l'huile dans une casserole à fond épais. Elle est chaude lorsqu'un cube de pain jeté dedans dore en 15 secondes. Faites frire les panais I minute, jusqu'à ce qu'ils soient dorés et croustillants, puis égouttez-les sur du papier absorbant. Procédez en plusieurs fournées.

3 Dans un bol, mélangez 2 cuillerées à café de sel et le cumin. Transférez les chips de panais dans un saladier. Saupoudrez-les de sel au cumin. Servez immédiatement.

Brocolis chinois au gingembre et aux cacahuètes

Pour 4 personnes

600 g de brocolis chinois
40 g de pulpe de tamarin
1 petit piment rouge
1 c. s. d'huile d'arachide
2 gousses d'ail finement hachées
3 c. c. de gingembre frais râpé
1 c. s. de sucre
1 c. s. de jus de citron vert
1 c. c. d'huile de sésame
1 c. s. de cacahuètes grillées non salées, finement concassées

1 Épluchez la base des brocolis et coupez-les en deux. Dans un saladier, versez 60 ml d'eau bouillante sur la pulpe de tamarin. Laissez tremper 5 minutes, passez ce mélange au chinois et jetez les éléments solides.

2 Coupez le piment en deux, débarrassez-le des graines et des membranes puis hachez-le finement. Faites chauffer un wok et tapissez-en le fond d'huile d'arachide, en l'inclinant. Faites revenir les brocolis 2 à 3 minutes, jusqu'à ce qu'ils flétrissent, puis ajoutez le piment, l'ail et le gingembre. Laissez cuire 1 minute de plus puis incorporez le sucre, le jus de citron vert et 1 cuillerée à soupe de liquide au tamarin. Laissez frémir 1 minute.

3 Transférez les brocolis sur un plat de service et arrosez-les d'huile de sésame. Agrémentez de cacahuètes, salez et poivrez.

PRATIQUE Extraite de la gousse d'un fruit tropical, la pulpe de tamarin est utilisée comme condiment dans les cuisines exotiques. On la fait généralement tremper dans un peu d'eau bouillante et on utilise cette eau parfumée pour aromatiser les plats.

Choux de Bruxelles à la sauge et aux marrons

Pour 4 personnes

25 g de beurre ramolli
25 g de marrons cuits finement hachés
1 c. c. de sauge ciselée
700 g de choux de Bruxelles

1 Mettez le beurre, la sauge et les marrons hachés dans un saladier puis mélangez intimement le tout. Étalez ce beurre sur une grande feuille de papier sulfurisé, formez un boudin et laissez raffermir au réfrigérateur.

2 Faites cuire les choux de Bruxelles 10 à 12 minutes dans un grand volume d'eau bouillante salée puis égouttez-les soigneusement. Découpez le beurre refroidi en tranches fines. Mélangez quatre de ces tranches aux choux de Bruxelles. Salez et poivrez généreusement. Répartissez les autres tranches de beurre sur les choux et servez immédiatement.

VARIANTE Vous pouvez remplacer les marrons par des noix grillées.

Tagliatelles de légumes aux épices

Pour 4 personnes

4 grosses carottes
2 gros panais
1 grand saladier d'eau glacée
185 ml de crème
1 gousse d'ail pilée
35 g de parmesan finement râpé
2 c. s. de ciboulette ciselée

1 Pelez les carottes et les panais puis détaillez-les à l'économe en lamelles longues et fines, jusqu'au cœur. Portez une casserole d'eau à ébullition avec 1 cuillerée à café de sel. Plongez les légumes 1 minute dans l'eau bouillante, égouttez-les puis refroidissez-les dans le saladier d'eau glacée.

2 Versez la crème dans une casserole et ajoutez l'ail pilé. Laissez réduire à feu moyen, tout en remuant, pour obtenir environ 100 ml. Ajoutez 2 cuillerées à soupe de parmesan et 1 cuillerée à soupe de ciboulette. Salez et poivrez généreusement.

3 Égouttez les légumes, ajoutez-les à la crème et laissez réchauffer 2 minutes à feu moyen, en remuant doucement. Garnissez du reste de parmesan et de ciboulette. Servez aussitôt.

Purée de carottes au cumin

Pour 4 personnes

6 carottes
1 c. s. d'huile d'olive
2 gousses d'ail finement hachées
1 c. c. de curcuma moulu
2 c. c. de gingembre frais finement râpé
60 g de yaourt à la grecque
2 c. c. de harissa
2 c. s. de feuilles de coriandre ciselées
2 c. c. de jus de citron vert
1 c. c. de graines de cumin

1 Pelez les carottes puis détaillez-les en tronçons de 2,5 cm. Placez-les dans une casserole d'eau froide. Portez à ébullition, réduisez le feu et laissez mijoter 3 minutes. Égouttez et laissez sécher.

2 Faites chauffer l'huile d'olive dans une casserole antiadhésive à fond épais puis faites revenir l'ail, le curcuma et le gingembre 1 minute à feu moyen, jusqu'à ce que le mélange embaume. Ajoutez les carottes et poursuivez la cuisson 3 minutes. Mouillez avec 1 cuillerée à soupe d'eau et laissez cuire 10 à 15 minutes à couvert. Dès que les carottes sont cuites, transférez-les dans un saladier et écrasez-les grossièrement en purée.

3 Incorporez le yaourt, la harissa, la coriandre et le jus de citron vert dans les carottes puis mélangez soigneusement. Salez et poivrez.

4 Chauffez une poêle à fond épais à sec et faites sauter les graines de cumin 1 à 2 minutes, jusqu'à ce qu'elles embaument. Servez les carottes saupoudrées des graines de cumin.

Épinards à l'indienne

Pour 4 personnes

**2 c. s. de ghee (beurre clarifié)
ou d'huile végétale
1 oignon émincé
2 gousses d'ail finement hachées
2 c. c. de gingembre frais finement râpé
1 c. c. de graines de moutarde brune
1/2 c. c. de cumin moulu
1/4 c. c. de coriandre moulue
1 c. c. de curcuma moulu
1/2 c. c. de garam masala
(mélange d'épices)
350 g d'épinards en branches
60 ml de crème fraîche
1 c. s. de jus de citron**

1 Faites chauffer un wok puis tapissez-en le fond de ghee, en l'inclinant. Faites fondre l'oignon 2 minutes à feu moyen puis ajoutez l'ail, le gingembre, les graines de moutarde, le cumin, la coriandre, le curcuma et le garam masala. Laissez cuire 1 minute, jusqu'à ce que le mélange embaume.

2 À la main, déchirez chaque feuille d'épinard en deux puis incorporez-les au mélange d'épices. Laissez cuire 1 à 2 minutes. Lorsqu'ils flétrissent, incorporez la crème et laissez frémir 2 minutes. Ajoutez le jus de citron. Salez et poivrez. Servez bien chaud.

Courge au piment

Pour 4 personnes

800 g de courge butternut
2 c. s. d'huile
2 gousses d'ail pilées
1 c. c. de gingembre frais râpé
2 piments oiseaux finement hachés
1 c. c. de zeste de citron vert
finement râpé
1 c. s. de jus de citron vert
2 c. s. de sauce de soja claire
185 ml de bouillon de légumes
1 c. s. de sauce de soja brune
1 c. c. de sucre de palme râpé
(voir p. 260)
35 g de feuilles de coriandre ciselées

1 Pelez la courge puis ôtez les graines à l'aide d'une cuillère. Il doit vous rester environ 600 g de chair. Découpez-la en cubes de 1,5 cm.

2 Chauffez l'huile dans une grande poêle ou dans un wok à feu moyen. Faites revenir l'ail, le gingembre et le piment pendant 1 minute. Remuez constamment l'ail et le piment pour qu'ils n'attachent pas. Ajoutez la courge, le zeste et le jus de citron vert, la sauce de soja claire, le bouillon, la sauce de soja brune et le sucre de palme. Couvrez et laissez cuire 10 minutes.

3 Retirez le couvercle et poursuivez la cuisson 5 minutes en remuant doucement. Incorporez la coriandre hachée et servez immédiatement.

Beignets de tomates vertes

Pour 4 à 6 personnes

750 g de tomates vertes
60 g de farine de blé
225 g de Maïzena
2 c. c. de thym finement haché
2 c. c. de marjolaine finement hachée
50 g de parmesan râpé
2 œufs battus
avec I cuillerée à soupe d'eau
I litre d'huile d'olive

I Préchauffez le four à 180 °C. Coupez les tomates en tranches de I cm et salez. Dans un récipient peu profond, mélangez la farine, le sel et le poivre. Mélangez la Maïzena, le thym, la marjolaine et le parmesan dans une assiette creuse. Plongez les tomates tour à tour dans la farine de blé, en les enrobant de toutes parts, dans l'œuf battu puis dans le mélange à la Maïzena. Réservez-les en veillant à ce qu'elles ne se touchent pas.

2 Faites chauffer l'huile d'olive dans une casserole à fond épais. Elle est chaude lorsqu'un cube de pain jeté dedans dore en 20 secondes. Réduisez légèrement le feu puis faites cuire les tomates en tranches 2 à 3 minutes de chaque côté, jusqu'à ce qu'elles soient dorées. Sortez-les avec une pince et égouttez-les sur du papier absorbant. Procédez en plusieurs fournées. Transférez les tomates sur une assiette et réservez-les au chaud dans le four au fur et à mesure de la cuisson. Servez bien chaud.

Maïs sauté au citron vert et au piment

Pour 4 personnes

4 épis de maïs
50 g de beurre
2 c. s. d'huile d'olive
1 tige de citronnelle froissée
et coupée en deux
3 petits piments oiseaux
épépinés et finement hachés
2 c. s. de zeste de citron vert
finement râpé
2 c. s. de jus de citron vert
2 c. s. de coriandre ciselée

1 Ôtez les feuilles et les soies des épis de maïs puis lavez-les soigneusement. Avec un couteau bien aiguisé, coupez chaque épi en tronçons de 2 cm.

2 Faites chauffer le beurre et l'huile à feu moyen. Laissez braiser la citronnelle pendant 5 minutes puis sortez-la de la casserole. Ajoutez les piments, laissez cuire 2 minutes puis incorporez le zeste et le jus de citron, 3 cuillerées à soupe d'eau et le maïs. Couvrez et faites cuire 5 à 8 minutes en secouant régulièrement la casserole. Quand le maïs est cuit, salez et poivrez généreusement. Incorporez la coriandre et servez chaud.

PRATIQUE Le maïs se déguste avec les doigts. Prévoyez des serviettes en papier pour vos invités.

Table des recettes

Les entrées

Artichauts à la vinaigrette aux épices	66
Artichauts farcis	22
Asperges à la gremolata	33
Beignets de cacahuètes	41
Beignets de chou-fleur	53
Beignets de fleurs de courgettes	61
Bouchées aux épinards	49
Bouchées de légumes vapeur	45
Bruschette tomate-champignons	9
Champignons farcis	46
Champignons grillés	14
Feuilletés au poireau	17
Feuilletés de courge à la feta	42
Frittatas de légumes à l'houmous	25
Galettes de poireau et d'épinards	69
Houmous à la betterave	58
Légumes primeurs et aïoli au safran	29
Makis aux nouilles udon	73
Mille-feuilles de légumes	74
Pakoras et yaourt à la coriandre	62
Pâté végétal aux champignons	34
Poivrons farcis	57
Poivrons grillés au fromage de chèvre	21
Purée de poivron rouge aux noix	38
Rouleaux de printemps à la thaïlandaise	54
Rouleaux de printemps	30
Salsa de maïs et asperges grillées	10
Tartelettes à l'italienne	65
Tartelettes à l'oignon caramélisé	26
Tempura de légumes	18
Timbales de carotte et fondue de poireau au safran	13
Timbales de légumes au fromage de chèvre	50
Timbales de légumes aux poireaux frits	37
Tortilla de pommes de terre	70

Les soupes

Bortsch	84
Chowder de maïs et pommes de terre	104
Consommé aux raviolis et aux pois gourmands	143
Gaspacho	87
Minestrone	151
Soupe aux épinards	123
Soupe chinoise aux nouilles	135
Soupe de bettes aux risonis	103
Soupe de carottes et lentilles au curry	107
Soupe de courge	139
Soupe de courge, patate douce et lentilles corail	96
Soupe de courgette	148
Soupe de légumes au curry vert	112
Soupe de légumes aux nouilles soba	95
Soupe de légumes et pois cassés	127
Soupe de lentilles à l'indienne	136
Soupe de panais aux épices	108
Soupe de patate douce au piment	147
Soupe de pâtes aux légumes	111

Soupe de pois chiches 152
Soupe de poivron
  et pois chiches aux épinards 128
Soupe de poivron rouge
  au maïs et au piment 92
Soupe de printemps au pesto 119
Soupe de roquette 140
Soupe de topinambour à l'ail rôti 79
Soupe de topinambour au safran 155
Soupe de tortellinis
  aux champignons 116
Soupe de verdure au pesto 83
Soupe épaisse aux carottes
  et au gingembre 99
Soupe glacée à l'ail
  et aux amandes 120
Soupe glacée aux poivrons grillés 144
Soupe italienne aux haricots blancs 124
Soupe miso aux nouilles udon
  et au tofu 80
Soupe paysanne 88
Soupe thaï à la citronnelle 100
Velouté d'asperges 91
Velouté de champignons
  aux échalotes 132
Velouté de patates douces
  et de poires 115
Velouté de poireau au fenouil 131

Frisée à l'ail et aux croûtons 191
Gado gado 172
Salade aux deux choux 196
Salade baladi 203
Salade d'artichauts 187
Salade d'asperges à l'orange 199
Salade d'oranges et fenouil rôti 175
Salade de betterave
  et cresson aux noix 184
Salade de concombres 179
Salade de lentilles
  et d'aubergines 195
Salade de papaye verte 164
Salade de tomates
  aux haricots blancs 183
Salade de tomates séchées
  et de cœurs d'artichauts 188
Salade tiède au choy sum 180
Salade tiède de patate douce
  et pâtes 167
Salade tiède de pommes de terre
  à l'aneth 200
Salade tiède de pommes de terre
  aux olives vertes 171
Salade vietnamienne 204
Taboulé 176
Tomate-mozzarella 168

Les salades

Betteraves rôties en salade 160
Carottes à la marocaine 159
Chou-fleur grillé au sésame 163
Épis de maïs en salade 192

Les plats principaux

Aubergines à la mode Sichuan 233
Brochettes de champignons
  et d'aubergines 257
Cannellonis à la ratatouille 245
Champignons au curry rouge 302

Champignons sautés
    aux pois gourmands et au tofu   246
Châtaignes d'eau aux épinards
    et aux patates douces   262
Conchiglie aux légumes verts   261
Conchiglie farcis à la courge
    et à la ricotta   273
Curry de courge aux haricots verts
    et noix de cajou   285
Curry de tofu aux aubergines   290
Curry vert de patates douces
    et d'aubergines   242
Fettuccine aux épinards
    et aux tomates   294
Frittata aux fleurs de courgettes   218
Frittata aux pâtes et aux légumes   282
Fusillis aux brocolis, au piment
    et aux olives   249
Fusillis aux tomates, à la mozzarella
    et à la tapenade   266
Gnocchis de patate douce
    au cresson   210
Gratin de risonis aux courgettes   254
Haricots verts aux amandes
    et aux épices   270
Lasagnes à la courge
    et aux épinards   238
Légumes sautés au sésame
    et au soja   277
Moussaka au soja   258
Nouilles de riz aux champignons   293
Nouilles de riz plates aux légumes   253
Nouilles hokkien aux légumes
    et au tofu   226
Nouilles sautées à la thaïlandaise   221

Omelette aux courgettes   310
Orecchiette aux brocolis   289
Pain de semoule aux légumes   213
Pâtes aux tomates rôties,
    à la roquette et à la feta   222
Penne aux tomates et aux oignons
    caramélisés   234
Pilaf de riz aux lentilles corail   269
Pizza à la roquette   241
Pizza aux courgettes   229
Polenta grillée au fenouil   301
Ragoût de haricots blancs
    aux poivrons   237
Ratatouille aux pommes de terre   278
Raviolis aux patates douces   298
Raviolis aux poivrons grillés   309
Risonis aux artichauts   209
Risotto aux asperges et
    aux pistaches   230
Risotto aux patates douces
    et à la sauge   286
Risotto aux champignons   214
Spaghettis à la roquette
    et au citron   274
Tarte à la courge et à la feta   225
Tarte salée à la grecque   250
Tarte tatin à la tomate   306
Timbales de macaronis   217
Tofu sauté au piment
    et aux noix de cajou   305
Tourte à la courgette
    et aux tomates   297
Tourtes aux champignons   265
Vermicelles de riz
    aux poivrons   281

Les accompagnements

Aubergines grillées
  et pesto au citron   331
Beignets de carottes au parmesan 344
Beignets de tomates vertes   375
Betteraves rôties, sauce au raifort   343
Brocolis chinois au gingembre
  et aux cacahuètes   363
Carottes à la crème de coco,
  au gingembre et au piment   319
Champignons caramélisés   316
Chips de panais   360
Chou et poireaux braisés   356
Chou rouge braisé   332
Choux de Bruxelles à la sauge
  et aux marrons   364
Courge au piment   372
Courgettes à la feta
  et à la menthe   335
Crêpe épaisse
  aux pommes de terre   355
Épinards à l'indienne   371
Épinards à la crème   340

Fenouil gratiné aux noix
  et au persil   352
Haricots sautés au basilic,
  à l'ail et au piment   323
Haricots verts à la feta
  et au romarin   347
Légumes rôtis au miel   315
Maïs sauté au citron vert
  et au piment   376
Oignons farcis au chèvre
  et aux tomates   320
Patate douce et mayonnaise
  au citron et au cumin   348
Patates douces au safran   326
Pepperonata   327
Pilaf de chou-fleur   351
Pommes de terre en papillotes   339
Pommes de terre rôties à l'ail
  et au romarin   324
Purée de carottes au cumin   368
Tagliatelles de légumes aux épices 367
Tomates et oignons rouges rôtis   359
Topinambours rôtis au vin rouge
  et à l'ail   336

Traduction : Catherine Pierre
Adaptation : Élisabeth Boyer
Mise en page : Penez Édition
Relecture : Antoine Pinchot

Marabout
43, quai de Grenelle - 75905 Paris Cedex 15

Publié pour la première fois en Australie en 2004
sous le titre *Vegie Food*

Dépôt légal n° 82177 / décembre 2006
ISBN : 978-2-501-04238-3
NUART : 4092326/04

Imprimé en Espagne par Graficas Estella